THÉOLOGIE HISTORIQUE

LE CONCILE VATICAN II

THÉOLOGIE HISTORIQUE
COLLECTION FONDÉE PAR JEAN DANIÉLOU
DIRIGÉE PAR CHARLES KANNENGIESSER

71

LE CONCILE DE VATICAN II

SON ÉGLISE

PEUPLE DE DIEU ET CORPS DU CHRIST

par

YVES CONGAR

PRÉFACE DE RENÉ RÉMOND

BEAUCHESNE
PARIS

Pour tous renseignements concernant nos publications
s'adresser au service documentaire
BEAUCHESNE ÉDITEUR — 72, rue des Saints-Pères, 75007 PARIS

ISBN : 2-7010-1077-2

PRÉFACE

Le Père Congar m'a fait le grand honneur de penser à moi pour présenter au lecteur le volume où il a recueilli quelques-uns des articles, des études ou des communications qu'il a consacrés depuis 1965 à Vatican II. D'ordinaire c'est le préfacier qui honore un ouvrage et l'auteur du livre escompte de la notoriété de la personnalité qu'il sollicite qu'elle l'introduise auprès du public et lui apporte un surcroît d'audience. En la circonstance il est manifeste que c'est moi que le choix du Père Congar honore : qui suis-je pour présenter son livre ? Je présume que ce n'est pas seulement à l'amitié respectueuse que je lui porte depuis près de quarante ans, que je dois cette marque d'estime, mais que c'est à l'historien que s'est adressé l'auteur de tant d'ouvrages qui ont contribué à restituer le sens de l'histoire dans l'Église. Il me revient donc de prendre acte de ce que l'historien retire, tant pour l'intelligence du mystère de l'Église que pour sa réflexion sur l'exercice de son métier, de la lecture de cet ensemble d'études.

Les douze textes ici rassemblés et qui ont été composés dans des circonstances et à des fins fort différentes présentent en effet deux traits qui établissent entre eux une parenté profonde : ils traitent tous d'un point de vue ou d'un autre de l'événement conciliaire et tous portent sur lui un regard d'historien. Détaillons quelques aspects et implications de cette lecture historique.

Le Concile a eu une histoire. A commencer par celle de son origine : au chapitre III le Père Congar mentionne les diverses versions qui ont couru sur la naissance de l'idée et dont la diversité constitue une petite énigme, qu'il tire au clair en historien : elles ne sont pas contradictoires mais peuvent fort bien s'emboîter. Le Concile relève d'une approche historique parce qu'il appartient à l'histoire à plusieurs titres. Il a été une expérience. Le Père

Congar, qui y a participé personnellement, insiste sur la différence fondamentale qui sépare une consultation du corps épiscopal par écrit, comme il y en eut pour préparer la proclamation du dogme de l'Assomption de Marie, et une réunion physique des Pères du Concile ; cette spécificité de la délibération collégiale est à la fois une vérité d'expérience, une observation sociologique et une réalité théologique ; il s'est passé quelque chose d'imprévisible, d'incomparable dans la rencontre des évêques, la vie partagée, la communication des idées et des convictions, la recherche des expressions de la foi commune. Et le Père Congar de souligner le caractère parfois tâtonnant, la démarche pragmatique de la délibération conciliaire qui attestent à quel point l'événement s'inscrit dans l'histoire.

Événement historique, le Concile l'est encore et surtout parce qu'il n'a pas laissé l'Église comme il l'avait trouvée : n'est-ce pas le caractère distinctif de l'histoire que d'être changement et de la démarche historique que d'être perception de ce changement ? Elle est tout autant conscience de la continuité et à cet égard le Père Congar manifeste combien son approche est celle de l'historien. Il récuse les oppositions par trop tranchées entre l'Église d'avant le Concile et l'Église d'après ; il s'élève expressément contre la schématisation trop répandue d'un avant et d'un après que séparerait une frontière infranchissable. Il s'attache à montrer que Vatican II s'inscrit dans le prolongement des Conciles, qu'en particulier il continue Vatican I dont il complète certains enseignements. Plusieurs études retracent l'histoire de quelques-unes des notions les plus fondamentales de la théologie de Vatican II — peuple de Dieu, Corps mystique — et restitue les étapes du long processus dont un texte comme la Constitution sur l'Église Lumen gentium *est l'aboutissement. Cette continuité ne contredit pas la nouveauté de Vatican II. La nouveauté est à la fois dans l'événement et dans ses enseignements. C'est le premier de tous les Conciles à proposer au monde une image visible de l'universalité de l'Église : pour la première fois tous les peuples de la terre y étaient représentés, et l'Europe n'y était plus qu'une partie de l'assemblée. Quant à la nouveauté de l'enseignement, elle est grande : le Père Congar fait justice de l'idée selon laquelle Vatican II n'aurait été qu'un concile pastoral ; au reste, c'est la dichotomie même postulée entre des Conciles présumés doctrinaux et d'autres qui ne seraient que pastoraux qui est contestable. Comme si une orientation pastorale pouvait être définie en dehors d'une réflexion théologique ! En utilisant, entre autres procédés d'analyse, l'étude du vocabulaire et le décompte comparatif des termes employés par différents Conciles, il démontre que Vatican II n'a pas été moins doctrinal que les autres Conciles.*

En quoi consiste donc la nouveauté de la vision qu'il apporte de l'Église ? Dans l'introduction précisément d'une dimension historique. On est passé d'une ecclésiologie dominée par une conception essentiellement juridique de l'organisation ecclésiale à une ecclésiologie qui s'inscrit dans l'histoire du salut collectif de l'humanité. A une présentation de l'Église comme société s'est substituée celle d'une communauté existentielle marquée par l'historicité qui fait corps avec une théologie de l'Église comme sacrement du salut et mystère de vie.

Vatican II intéresse encore l'histoire parce qu'il est un commencement : son histoire n'a pas pris fin avec sa séparation. Commence alors en effet celle de ses suites, à commencer par celle de sa réception, plus ou moins rapide ou complète selon les situations particulières des Églises locales. Le Père Congar dresse un bilan en partie double, de ce qui est déjà passé des enseignements du Concile dans les esprits et les pratiques et de ce qui est jusqu'à présent demeuré lettre morte. Un Concile dispose d'un certain dynamisme qui ne développe ses effets que graduellement, ce qui est encore une modalité de son appartenance à l'histoire. Il y a plus. Le Concile n'est pas un terme, c'est une étape. Il est resté en chemin ; sur plus d'un point sa réflexion est incomplète, son œuvre imparfaite. Il appelle donc des prolongements. Et le Père Congar de désigner quelques-unes des directions où l'Église devra s'engager et progresser pour poursuivre le travail entrepris à Vatican II. En toute hypothèse, le Concile conditionnera longtemps la vie de l'Église et ses relations au monde. Au passage le Père Congar écarte l'idée qui veut que la crise que traverse actuellement l'Église, singulièrement dans les sociétés occidentales, soit la conséquence du Concile : elle est bien plutôt le contrecoup de la profonde mutation socio-culturelle contemporaine du Concile, qui se serait opérée avec ou sans Concile, et dont Vatican II ne pouvait prévoir toutes les implications ni mesurer l'ampleur. D'où le décalage entre certaines de ses positions et les changements postérieurs et la déception de voir que le renouvellement courageux que l'Église a opéré ne suffisait pas à rétablir entre elle et le monde une confiance désormais sans failles.

Par-delà l'étude du Concile, de ses origines, de ses conséquences, cet ensemble d'études illustre le rapport de l'Église aux hommes et au monde. L'Église vit dans le temps ; elle est soumise aux crises, sujette aux contraintes qui s'exercent sur toute société. Le Concile lui-même a été tributaire d'une certaine conjoncture. Le peuple de Dieu vit son histoire en union avec l'histoire de l'humanité. Cette histoire s'édifie avec des éléments de l'histoire universelle. Les hommes auxquels l'Église adresse le message du salut vivent dans des situations historiques qui dessinent le cadre dans lequel l'Église accomplit sa mission.

Je ne connais guère de livre qui illustre mieux que la connaissance de l'histoire de l'Église est un élément absolument nécessaire de toute culture religieuse, qu'une méditation sur la signification de la relation de l'Église au temps et à l'histoire fait partie de l'ecclésiologie et que la réflexion théologique est inséparable d'une démarche historique.

RENÉ RÉMOND

TABLE DES MATIÈRES

Chapitre premier

SITUATION ECCLÉSIOLOGIQUE AU MOMENT DE « ECCLESIAM SUAM » ET PASSAGE A UNE ÉGLISE DANS L'ITINÉRAIRE DES HOMMES

Ai-je bien compris ce qu'on attent de moi dans ce colloque consacré à la mémoire du cher et saint Paul VI ? Ce serait de préciser l'état de la théologie « de Ecclesia » au début de son pontificat. Le sujet présente de grandes difficultés, voire des écueils. La théologie « de Ecclesia » ? Il y en avait plusieurs, et cela en chaque région culturelle. Le concile était déjà commencé et il avait commencé à dégager son esprit, sa tendance nettement majoritaire. Je suis très conscient du piège que représente le schéma facile « Avant-Après ».

C'est à la fois vrai et faux. C'est vrai parce qu'il s'est passé quelque chose et que le concile a changé de valeurs dominantes dans la façon de voir l'Église. Cela ressortira de mon exposé, dont c'est même la part principale. Mais je veux mettre en garde contre le simplisme de ce schéma. Vatican II s'est voulu et a été dans la continuité des conciles précédents et de la Tradition [1]. Paul VI a insisté sur sa continuité avec Vatican I [2]. Tout historien

1. On compte, dans les textes de Vatican II, 93 citations des conciles antérieurs, dont 21 de Trente et 24 de Vatican I, et pas moins de 201 citations ou références à 92 actes de Pie XII. E. Innocenti, *Le citazioni pontificie nei documenti conciliari*, in « Concretezza », 16 juillet 1966, p. 6-10.

2. Discours du 8 décembre 1969 (« Docum. Cathol », 67, n° 1554 : 10 janvier 1970) 10 sv.

sait que tout se modifie sans cesse et qu'il existe cependant des continuités profondes. D'autre part je serai amené à reconnaître une tension entre idées dominantes à Rome et mouvements d'idées dans d'autres espaces culturels. Il y a une géographie des idées. Quand je revois le déroulement du concile, une tension entre ces autres espaces et la Curie ou ce qui lui était lié m'apparaît avec évidence. Mais là encore, je prie qu'on évite le simplisme. Il a existé partout une diversité de tendances, et un même attachement catholique a uni tous les acteurs de Vatican II.

Aussi avons-nous conscience de ne retenir qu'une inspiration de fond, une orientation globale, et de laisser de côté — sans pour autant les ignorer — d'autres données, si nous disons qu'au moment où s'ouvrait le concile, l'ecclésiologie la plus officielle était dominée par une vision juridique. C'est une des critiques adressées par le Cardinal Montini, dans son intervention du 5 décembre 1962 au schéma de la Commission théologique préparatoire : « Eodem schemate primaria elementa iuris ecclesiastici exhibentur ; non tamen veritates satis exponuntur, quae apertius referuntur ad « mysterium Ecclesiae », ad eius vitam mysticam et moralem, quibus efficitur Ecclesiae vita quae vere proprieque dicitur »[3]. De fait, le premier chapitre du schéma était intitulé « De Ecclesiae militantis natura ». Il commençait par le Propos de Dieu le Père (n° 1), Propos exécuté par le Fils incarné qui sanctifie et dirige, *gubernat*, le peuple de Dieu vers le salut éternel, « non seulement par lui-même, mais par les chefs choisis par lui » (n° 2). Après un bref paragraphe 3 sur les images de l'Église, on développait celle du corps, dans le sens de l'encyclique *Mystici Corporis*, pour conclure « l'Église-société est le Corps mystique du Christ » (n° 6), « l'Église Catholique Romaine est le Corps mystique du Christ » (n° 7)[4].

On voit que le schéma préparatoire reprenait l'enseignement

3. *Acta Synodalia Sacrosancti Concilii Œcumenici Vaticani II.* Volumen I. Periodus prima. Pars IV : Congregationes generales XXXI-XXXVI. Vatican, 1971, p. 292.

4. Le n° 8 de *Lumen Gentium* correspond assez exactement à ces n°s 6 et 7, mais les mêmes données y sont prises (et formulées) dans une perspective différente. La comparaison des deux textes est significative.

de *Mystici Corporis* que l'archevêque de Milan citait, de son côté, souvent, mais plutôt pour ce qu'elle incorporait d'aspects mystiques. Le schéma ajoutait du nouveau, surtout son chapitre XI sur l'œcuménisme, mais, au total, il était, comme le note Antonio Accrbi, « une somme de l'enseignement pontifical des 150 dernières années »[5]. Le langage, traduisant un point de vue d'ensemble, est juridique, ce qui éclate par exemple dans le chapitre X « De necessitate Ecclesiae annuntiandi Evangelium omnibus Gentibus et ubique terrarum ». Cela venait du combat que l'Église, et en première ligne les papes, avaient mené contre les prétentions à la fois absolutistes et laïcistes des Pouvoirs étatiques. Cela avait amené les papes et les théologiens travaillant à Rome à privilégier comme concept-clé de l'ecclésiologie la notion de société, et même de « societas perfecta », société complète. Or ces concepts gardent une valeur dans toute ecclésiologie catholique : ils n'ont pas été éliminés par Vatican II. La question décisive est la suivante : par quels concepts *entre-t-on* dans la question ? Quels concepts *dominent* ? Cela a été ceux de « societas », « societas perfecta », « societas inaequalis, hierarchica ».

Societas. L. Billot, *Tractatus de Ecclesia Christi*..., 1898, 3e éd. Prato, 1909 : « de societate ecclesiastica reduplicative in quantum societas est, praesens currit tractatus »[6]. C'est que Billot considérait le corps de l'Église conceptuellement séparé de son âme de grâce : ce corps existait comme tel indépendamment de la grâce et des vertus qu'on trouve dans ses membres, à savoir comme « societas membrorum colligatio sub hierarchia instructa duplici potestate », de juridiction et d'ordre. En face de cette option brutale, pensons à cette phrase de *Lumen Gentium* n° 14, « Illi plene Ecclesiae *societati* incorporantur *qui, Spiritum Christi habentes*... », etc. Très consciemment, j'en suis témoin étant le

---

5. A. Acerbi, *Due ecclesiologie. Ecclesiologia giuridica ed ecclesiologia di comunione nella « Lumen Gentium »* (Nuovi Saggi teologici), Bologna, 1975. En note, Acerbi donne ces précisions : le schéma contient 309 références aux documents pontificaux sur 460 références au total, contre 168 références à l'Écriture et 36 aux Pères. Il ajoute : « Ma il solo confronto numerico non rende giustizia al rapporto reale tra le diverse fonti. I testi biblici e patristici sono subordinati ai testi magisteriali... »

6. IIe pars : De intima constitutione Ecclesiae, proemium. 2e éd. 1903, p. 280 ; 3e éd. 1909, p. 272.

rédacteur, on a pensé que se jouait là, dans la question des membres, toute une conception de l'Église concrètement prise. L'encyclique *Mystici Corporis* est, à sa manière, une mise au point de Billot, puisqu'elle réintroduit l'aspect de grâce et de charismes dans la réalité même du corps social. Mais elle le faisait en satisfaisant à la requête exprimée en 1940 par le P. Przywara : ne pas définir l'Église en termes de Corps mystique, mais le Corps mystique en termes d'Église, c'est-à-dire de société... [7].

Nous pourrions aligner bien des titres de traités partant d'une notion de *societas* : Ch. Pesch (*Praelectiones dogmaticae De Ecclesia*, 1894 et sv. ; 4e éd. 1909) ; M. d'Herbigny (*Theologica de Ecclesia*, 3e éd. en 2 vol., 1920-25) ; J. V. Bainvel, *De Ecclesia Christi*, Paris, 1925, qui commence ainsi, thesis 1 : « Christus Ecclesiam ipse instituit per modum societatis distinctae visibilis, in qua esset, extra quam non esset christiana religio » ; A. M. Vellico qui, après avoir donné une définition purement philosophique de la société, l'applique à l'Église et pose cette affirmation : « Habemus catholicam doctrinam, quae firmiter tenuit ac tenet Christum Dominum, in terris degentem, suam Ecclesiam instituisse ut veram ac proprie dictam societatem inaequalem, quae dicitur etiam societas hierarchica » [8].

Societas perfecta. Ce concept remonte à la *Politique* d'Aristote et St. Thomas l'emploie pour la « civitas », mais ne l'applique pas à l'Église comme on le fera plus tard [9]. Mais le concept était déjà

7. E. Przywara, *Corpus Christi mysticum. Eine Bilanz*, in « Zeitsch. f. Aszese u. Mystik », 15 (1940), 197-215.

8. *De Ecclesia Christi : Tractatus apologetico-dogmaticus*, Rome, 1940, pp. 104-105. Partir d'une définition purement philosophique de la société était fréquent. Typique est ce texte de Tarquini : « De ecclesiae potestate, quae ex eius natura deducitur. In investiganda potestate, quae ex hoc fonte oritur, viam hanc tenebimus. Primo, studio omni seposito, factaque abstractione ab ecclesia, ex iure naturali recogniscemus quae et quanta sit potestas quae cuilibet societati perfectae vi suae naturae competit. Secundo natura ecclesiae considerata cam societatem esse perfectam demonstrabimus, quae duo exposita cum fuerint, ipsius ecclesiae potestas, quae ex hoc fonte dimanat, logica necessitate per se innotescet » (*Iuris ecclesiastici publici Institutiones*, 1960 ; ed. 19e 1904, p. 3. Cité par Acerbi, p. 18).

9. Cf. Par exemple *S. Th.* Ia IIae q. 9 a. 3 ; q. 90 a. 3 ad 3. Étude insatisfaisante d'A. Müller, *Il concetto della Chiesa come « Societas perfecta » in S. Tommaso e l'idea moderna della sovranità*, in « Riv. internaz. di Scienze Sociali », 97 (1923), 193-204. Cf. M. Useros Carretero, *« Statuta Ecclesiae » y « Sacramenta Ecclesiae » en la Ecclesiologia de S. Tomas*, Rome, 1962, p. 104-109.

implicite dans les affirmations d'un Grégoire VII... [10]. Il n'a été appliqué à l'Église que très discrètement — par exemple par Bellarmin [11] — avant qu'on ne se trouve, au XVIIIe siècle, devant des théories de droit public qui attribuaient au pouvoir politique toute l'organisation externe de la vie ecclésiale [12]. Des évêques français usaient de ce concept pour critiquer la constitution civile du clergé de 1790 [13]. Cela devait être un thème de la grande lutte menée au XIXe siècle par la papauté et les juristes romains contre les prétentions étatiques de limiter et contrôler la liberté d'action de l'Église. Cela dès le pontificat de Grégoire XVI (1839) [14]. Fondée en science juridique par un Tarquini (1862), plus tard par un Cavagnis, l'affirmation que l'Église est une société originale, autonome, ayant en elle-même, de droit divin tous les pouvoirs appelés par l'obtention de sa fin surnaturelle, a été reprise par Pie IX dans des allocutions consistoriales (*Singulari quadam*, 9 déc. 1854 ; *Multis gravibusque*, 17 déc. 1860 : *Maxima quidem laetitia*, 9 juin 1862), dans le Syllabus, propos. 19 condamnant la thèse « Ecclesia non est vera perfectaque societas plane libera, nec pollet suis propriis et constantibus iuribus sibi a divino suo fundatore collatis, sed civilis potestatis est definire quae sint Ecclesiae iura ac limites, intra quos eadem iura exercere queat » (DSch 2919), enfin dans l'encyclique *Vix dum a Nobis* du 7 mars 1874.

10. Th. M. PARKER, *The Medieval Origins of the Idea of the Church as a « Societas perfecta »*, in *Miscellanea Historiae ecclesiasticae*, Congrès de Stockolm, août 1960, Louvain, 1961, p. 23-31.

11. *Controv. I. De Summo Pontifice*, lib. V c. 7 : « Respublica ecclesiastica debet esse perfecta et sibi sufficiens in ordine ad suum finem ».

12. S. FOGLIANO, *Il compito apologetico del Ius Publicum Ecclesiasticum*, in « Salesianum », 5 (1945), 49-80 ; ID., *La tesi fondamentale del Ius Publ. Eccl.*, *ib.*, 6 (1946), 67-135 ; H. MÜLLEJANS, *Publicus und Privatus im Römischen Recht und in älteren kanonischen Recht unter besond. Berücksichtigung der Unterscheidung Jus publicum und Jus privatum*, München, 1961 ; A. DE LA HERA et Ch. MUNIER, *Le Droit public ecclésiastique à travers ses définitions*, in « Rev. de Droit canonique », 14 (1964), 32-63 ; Ch. MUNIER, *Église et Droit canon du XVIe siècle à Vatican I*, in « Revista españ. de Derecho Canónico », 19 (1964), 589-617.

13. C. CONSTANTIN, art. *Constitution civile du Clergé*, in *Dict. Théol. cath.*, t. II, col. 1562.

14. Conflit pour l'évêché de Posen-Gnesen. Pour ce qui suit cf. K. WALF, *Die katholische Kirche — eine « societas perfecta »?*, in « Theol. Quartalsch », 157 (1977), 107-118. Et voir Roland MINNERATH, *Le droit de l'Église à la liberté du Syllabus à Vatican II*, in « Le Pont théologique 39 », Paris, 1983.

Le concile Vatican I avait repris la thèse dans le chapitre III du schéma *Supremi Pastoris*, distribué le 21 janvier 1870, mais qui ne fut ni voté ni discuté [15]. Ce devait être un motif fréquent dans l'enseignement très élaboré de Léon XIII sur la société civile et les rapports entre l'Église et l'État : encycliques *Diuturnum illud* du 29 juin 1881 ; surtout *Immortale Dei* du 1er novembre 1885 (cf. DSch 3167), *Libertas praestantissimum* du 20 juin 1888, *Sapientiae christianae* du 10 janvier 1890, *Praeclare gratulationis* du 20 juin 1894. Cette fois les alliés scientifiques étaient Cavagnis et Zigliara. S. Pie X, Benoît XV, Pie XI nous apportent chacun au moins une référence au thème « Societas perfecta » [16]. Et, avec eux, les auteurs classiques de traités de Droit public ecclésiastique [17] ou les critiques de thèses d'un faux spiritualisme à la Rudolf Sohm [18]. La réflexion théologique d'un Pie XII, d'un Charles Journet, a montré que, loin d'être incompatibles, le visible et le juridique de l'Église étaient eux-mêmes spirituels.

Societas inaequalis, hierarchica. C'est devenu une affirmation fondamentale de l'ecclésiologie officielle entre Vatican I et Vatican II. Déjà Grégoire XVI avait écrit : « Personne ne peut ignorer que l'Église est une société inégale dans laquelle Dieu a destiné les uns à commander, les autres à obéir. Ceux-ci sont les laïcs, ceux-là les clercs » [19]. Le chapitre X du schéma *Supremi Pastoris* distribué à Vatican I portait : « Mais l'Église du Christ n'est pas une société composée de membres égaux, comme si tous les fidèles qui en font partie avaient les mêmes droits, mais elle est une société inégale (hiérarchique), et cela non seulement en ce sens que parmi les fidèles les uns sont clercs et les autres

15. Mansi 51, 539 sv. ; Coll. Lac. VII, 570 sv.

16. S. Pie X, *Compendio della dottrina cristiana* pour la province de Rome, 1905, parte I c. X § 1, p. 119 (cité par Sohm). Benoît XV, constitution *Providentissima Mater Ecclesia* promulguant le *Codex Iuris Canonici* de 1917. Pie XI, encycl. *Divini illius magistri* du 31 décembre 1929 (AAS 22 [1930] 53 ; DSch 3685).

17. Fr. Solieri, 2e éd. 1921 ; M. Conte a Coronata, 1924 ; A. Ottaviani, 1958.

18. L. Bendix, 1895, etc. Cf. A. Rouco-Varela, *Die katholische Reaktion auf das « Kirchenrecht I » Rudolph Sohms,* in « Ius Sacrum », Festg. Kl. Mörsdorf. Schöningh, 1969, p. 15-52.

19. Cité par A. Grillmeier, « Theol. u. Philos. », 45 (1970), 344, n. 55.

laïcs, mais surtout parce qu'il y a dans l'Église un pouvoir divinement institué que les uns ont reçu pour sanctifier, enseigner et gouverner, et que les autres n'ont pas »[20]. Ce thème a été ensuite répété par Pie IX[21], par Léon XIII[22], par Pie X[23], repris enfin par le Droit canon de 1917 : « Ex divina ordinatione sunt in Ecclesia clerici a laicis distincti » (canon 107). On trouvait de cela un écho dans le n° 5 du schéma préparatoire. Il s'agit de l'image du Corps : « Ecclesia, eo ipso quod corpus est, oculis cernitur [...] ; ipsa porro est multorum membrorum, haud sane aequalium, compages, cum alia aliis subdantur, cumque clerici et laici, praepositi et subditi, magistri et discipuli, diversique status in ipsa consistant ».

Les manuels, qui sont alors presque tous des traités apologétiques, se sont appliqués à prouver que le Christ a, dans son ministère terrestre, 1) fondé une Église *comme une société*, une société parfaite (complète), c'est-à-dire pourvue d'un pouvoir propre de légiférer, de gouverner, de contraindre par des peines ; 2) une société inégale, ou hiérarchique, comportant, de droit divin, une différence entre gouvernants et gouvernés. On a une vision pyramidale dont nous pourrions citer bien des expressions. Le terme de « hiérarchologie » que j'ai lancé en 1947 a été depuis repris un peu partout. J'avais alors cité aussi à ce sujet le mot de Möhler relatif à l'ecclésiologie juridique qu'on lui avait présentée : « Gott schuf die Hierarchie und für die Kirche ist nun

20. Mansi 51, 543. Trad. J. Maritain à la fin de son édition de H. Clérissac, *Le mystère de l'Église*. Le chapitre se termine par l'énoncé de « société parfaite ».

21. Lettre *Exortae in ista*, aux évêques du Brésil, 29 avril 1876 : Acta Pii IX[i], t. VII, p. 213-214.

22. Lettre au cardinal Guibert, 17 juin 1885 (« Ecclesia Dei, quam divinus auctor sic temperavit, ut, personarum discrimine constituto, omnino jusserit alios docere, alios discere oportere, gregem esse et pastores, atque in ipsis pastoribus unum esse omnium principem ac pastorem maximum... », in *Lettres apostoliques de Léon XIII*, Paris, B.P., t. VII, p. 62. Toute la lettre est sur ce sujet ; Lettre à l'archevêque de Tours, 17 décembre 1888 (Acta, t. III, p. 183-186).

23. Encycl. *Vehementer Nos,* 11 février 1906 : « Scriptura enim eloquitur, et tradita a Patribus doctrina confirmat Ecclesiam mysticum esse Christi corpus, pastorum et doctorum auctoritate administratum, id est societatem hominum in qua aliqui praesunt caeteris cum plena perfectaque regendi, docendi, iudicandi potestate. Est igitur haec societas, vi et natura sua, inaequalis [...] atque hi ordines ita sunt inter se distincti, ut in sola hierarchia jus atque auctoritas resideat movendi ac dirigendi consociatos ad propositum societati finem ; multitudinis autem officium sit, gubernari se pati, et rectorum sequi ductum obedienter ».

bis zum Weltende mehr als genug gesorgt : Dieu a créé la hiérarchie, et ainsi il a été pourvu plus que suffisamment aux besoins de l'Église jusqu'à la fin du monde »[24]. De cette société le Christ est vu essentiellement comme *fondateur*, plutôt que comme fondement actuel. Ce qui attirera cette critique du cardinal Montini au schéma de la Commission théologique préparatoire :

> Deinde maiore cum vi doctrina proferenda est, quae agit de relationibus quae inter Ecclesiam et Christum habentur. Dici debet omnibusque magis innotescere Ecclesiam prorsus scire se nihil posse ex se, sed omnia accipere a Jesu Christo et operari eo quod Iesus Christus in eadem sit praesens et agens. Ecclesia non est solum societas seu communitas a Christo Domino condita, sed est instrumentum in quo ipse arcane praesens est ut salutem humani generis procuret doctrina, sanctificatione sacramentali, cura pastorali, quae alatur spiritu eius, qui est Pastor bonus animarum[25].

Comment ne pas évoquer ici l'accent plein d'émotion et même de passion avec lequel, tout au début de son pontificat, Paul VI disait, le 29 septembre 1963, en ouvrant la deuxième période du concile : « Trois questions, capitales dans leur extrême simplicité, mais une seule réponse [...] : c'est le Christ, le Christ qui est notre principe, le Christ qui est notre voie et notre guide, le Christ qui est notre espérance et notre fin ». *Lumen Gentium* contient un écho presque littéral de ces mots, dans son n° 3.

Ajoutons encore que la hiérarchie était toute centrée sur le Pontife romain, dans une perspective de véritable monarchie spirituelle. Tous les manuels classiques n'avaient pas la brutale franchise du P. Domenico Palmieri, S.I., qui intitulait le sien *Tractatus de Romano Pontifice cum Prolegomenis de Ecclesia* (Rome, 1877 ; 2e éd. Prato, 1891 ; 3e éd. 1902). Mais depuis la réforme dite grégorienne, qui a marqué un tournant décisif dans

24. Möhler, in « Theol. Quartalsch. », 1823, p. 497, cité dans mon *Bulletin d'Ecclésiologie (1939-1946)*, in « Rev. Sc. phil. théol. », 31 (1947), 77-96. Pour le thème de l'Église — société hiérarchisée dans l'enseignement courant, cf. El. Germain, *A travers les catéchismes des cent cinquante dernières années*, in « Recherches et Débats », n° 71, 1971, p. 107-131.
25. *Loc. cit. supra*, n. 3.

l'ecclésiologie catholique dès lors réduite à sa partie latine, l'Église apparaissait comme une sorte de déduction ou d'expansion de sa tête romaine. Le lieu même de Rome n'était pas indifférent comme lieu où se formulait un « De Ecclesia ». Le schéma préparatoire de Vatican II avait été rédigé à partir d'un « schema compendiosum de ecclesia » émanant d'hommes qui, tous, à des titres divers, appartenaient au Saint Office[26]. Un *Symposium theologicum de Ecclesia Christi*, patronné par le Latran, l'accompagnait comme une glose non officielle, mais significative[27].

Or un des buts de Vatican II était de compléter et, pour autant, d'équilibrer Vatican I, en formulant une théologie de l'épiscopat, à la fois comme corps ou collège et comme élément formel des Églises locales. Le premier aspect surtout était tout à fait insuffisant dans le schéma de la Commission préparatoire. Le cardinal Montini le notait dans son intervention *in aula* le 5 décembre 1962, où il proposait un ordre de chapitre qui commençait par le collège des apôtres, origine du collège des évêques[28]. Le surlendemain, célébrant saint Ambroise à Milan, le cardinal Montini prononçait ces paroles très fortes : « Hier le thème de l'Église paraissait restreint au pouvoir du Pape, aujourd'hui il s'étend à l'épiscopat, aux religieux, aux laïcs, au corps entier de l'Église. Hier on parlait surtout des droits de l'Église comme en transposant à la définition de société parfaite des éléments constitutifs de la société civile ; aujourd'hui on découvre dans l'Église d'autres réalités (les charismes de grâce et de sainteté par exemple) que ne peuvent définir les notions purement juridiques. Hier nous nous intéressions particulièrement à l'histoire externe de l'Église ; aujourd'hui nous nous attachons autant à l'intérieure, engendrée par la présence cachée du Christ en elle »[29]. Devenu Paul VI, il revenait sur cette

26. Acerbi, *op. cit.* (n. 5), p. 107-108.

27. Symposium theologicum de Ecclesia Christi Patribus Concilii Vaticani II reverenter oblatum. Rome, Latran, 1962. Les textes forment le fascicule III de la revue « Divinitas », 6 (1962), 461-585, mais la revue n'a pas l'introduction du cardinal Ottaviani. L'œcuménisme est traité par le cardinal Siri : le concile en a parlé tout autrement.

28. *Op. cit. supra* (n. 3), p. 293.

29. *Il mistero della chiesa nella luce di S. Ambrogio*, in « Oss. Rom. » des 10-11 déc. 1962, p. 6. Notons ici que, dans une conférence donnée à La Mendola le

théologie de l'épiscopat, soit dans son discours de clôture de la deuxième période, 4 décembre 1963, où il faisait même allusion aux cinq questions d'orientation du 30 octobre, dont la portée était si discutée par les opposants à la collégialité, soit dans son discours d'ouverture de la troisième période, 14 septembre 1964.

Tout ce que nous venons de dire appartenait à notre sujet. Nous estimons cependant que nous pénétrons maintenant au cœur de ce sujet tel qu'il nous a été formulé — « Pour une Église dans l'itinéraire des hommes » — avec les deux sections que nous annonçons ainsi : A) Ce que sont devenues les valeurs « Société-parfaite-inégale ». B) Le changement dans la vision du temporel ou du monde.

1. Ce que sont devenues les valeurs « société-parfaite-inégale »

Ces valeurs ecclésiologiques n'ont pas été niées, ni même oubliées, mais ni elles ne sont prises comme porte d'entrée dans la réalité « Église », ni elles ne sont les valeurs dominantes.

Société : le concile parle de « mystère » de l'Église. Il voit celui-ci relevant du mystère du Christ en tant que celui-ci est lui-même plus qu'une œuvre extérieure, comme la Création, mais un engagement de Dieu lui-même dans le destin du monde : entendons du Dieu trinitaire : d'où les premiers n^os^ de *Lumen Gentium*, de *Ad Gentes divinitus* : d'où la citation de S. Cyprien par *Lumen Gentium*, « Sic apparet universa Ecclesia sicuti "de unitate Patris et Filii et Spiritus Sancti plebs adunata" »[30] ; d'où ;

16 août 1960 (« Les conciles dans la vie de l'Église »), Mgr Montini avait cité ce passage de l'article Vatican (concile du), par I. Brugerette et E. Amann, in *Dict. Théol. Cath.*, XV-2, col. 2583 (1950) : « Le problème de la conciliation des droits divins de l'Épiscopat avec les droits divins du pape n'a malheureusement pu venir en discussion, cf. l'art. *Primauté,* t. XIII, col. 247 sq. Une théologie bien équilibrée de l'Église réclame néanmoins que cette question soit posée, tout comme la vie pratique demande qu'en soient réglées les applications. Sera-ce l'œuvre d'un IIe concile du Vatican ? C'est le secret de l'avenir ». Cette conférence est traduite dans Card. J.-B. Montini, *L'Église et les Conciles*, Préface Mgr P. Veuillot, Paris, 1965, p. 119-137. Mgr Montini y parle expressément de la collégialité. Comp. *ibid.*, p. 165, le n° 42 de la lettre pastorale du carême 1962.

30. Cyprien, *De oratione Dom.*, 23 (PL 4, 553 ; Hartel, p. 285). *Lumen Gentium,* n° 4, donne en note des références à S. Augustin, S. Jean Damascène. Nous pourrions en ajouter à S. Épiphane.

dans *Unitatis redintegratio*, à la fin du n° 2, cette déclaration, qu'on imaginerait difficilement à Vatican I : « Hoc est unitatis Ecclesiae sacrum mysterium, in Christo et per Christum, Spiritu Sancto munerum varietatem operante. Huius mysterii supremum exemplar et principium est in Trinitate Personarum unitas unius Dei Patris et Filii in Spiritu Sancto ».

Dans ces conditions, le concept qui convient le mieux est celui de « communion ». Paul VI l'a aimé. Je me rappelle l'accent avec lequel il m'en a parlé, en me citant le livre du P. J. Hamer, *L'Église est une communion* (1962). Il est vrai que le concile n'a pas poussé l'élaboration de cette idée jusqu'au bout ; comme l'a montré Antonio Acerbi, il a gardé des éléments d'une ecclésiologie juridique. *Lumen Gentium* dit de l'Église qu'elle est, dans ce monde, « ut societas constituta et ordinata » (n° 8), « societas hierarchica ordinata » (n° 20 ; n° 14). C'est que cela reste vrai. Mais pour en revenir à Paul VI, il vaudrait la peine d'étudier, chez lui, les profondes perceptions qu'il a eues de l'Église comme communion, et cela en liaison avec le mystère du Christ. J'évoquerai seulement un aspect, sur lequel le Père Emmanuel Lanne a écrit quelques belles pages [31]. Il s'agit de l'œcuménisme de Paul VI, particulièrement à l'égard de l'Église orthodoxe. Il y a eu le pélerinage de Terre sainte, avec (d'après une note autographe du 21 septembre 1963) ces deux intentions liées, « rendre honneur à Jésus Christ, notre Seigneur » et « une rencontre fraternelle, prélude d'une réconciliation plus stable, avec les diverses dénominations chrétiennes séparées, présentes là-bas ». Il y a eu, le 25 juillet 1967, la visite au Phanar et le bref *Anno ineunte* où Paul VI parle d'Églises sœurs que sont l'Église orthodoxe et l'Église catholique. Mais cette appellation « est développée sous un angle qui n'est pas socio-politique, mais bien proprement chrétien et évangélique. Le fondement théologique de l'appellation d'Églises-sœurs est la fraternité des enfants du Père en Jésus-Christ, la communion des uns avec les autres, parce que nous avons la communion avec le Père et le Fils »

31. E. Lanne, *Hommage à Paul VI. En mémorial d'action de grâce,* in « Irénikon », 51 (1978), 299-311. Le bref se lit dans le « Tomos Agapis », n° 176 (p. 386-392), Rome-Istanbul, 1971.

(Lanne). Le texte est formel. Un recentrement sur le mystère du Christ évitait un ecclésiocentrisme et un centrement impérieux sur une Église romaine « mater et magistra ».

Le concept de communion est un concept-clé pour l'œcuménisme de Vatican II et, depuis, Paul VI l'a sans cesse utilisé. Il permet, en effet, de débloquer la situation issue de *Mystici Corporis* et de la stricte identité mise entre membres du Corps mystique et membres de l'Église catholique romaine. Il évite le tout ou rien. Nous sommes déjà en communion, bien qu'imparfaite, avec les chrétiens non catholiques romains. Avec les Orthodoxes, cette communion est presque parfaite. La modeste, mais décisive trouvaille que constitue le « subsistit in » de *Lumen Gentium* n° 8, repris dans le décret sur l'Œcuménisme et dans la déclaration sur la liberté religieuse, achève la nécessaire mise au point de l'ecclésiologie de *Mystici Corporis* réclamée dès le 1er décembre 1962 — premiers mots de la discussion du schéma préparatoire — par le cardinal Liénart. Cette ecclésiologie de communion n'a évidemment pas dit son dernier mot !

Vatican II a tâtonné. Personne ne l'a dirigé de façon un peu systématique. Mais il s'est dégagé une « mens concilii », « mens pastorum » qui a, très souvent, fait remplacer des expressions juridiques proches de la rationalité naturelle par des expressions prises du positif chrétien. Plus que de « pouvoir », on a parlé un langage de mission, de service [32]. Et cela a été conscient, voulu. Une comparaison avec Vatican I par traitement informatique des

32. A. GANOCZY (*Ministère, épiscopat, primauté,* in « Istina », 14 (1969), 99-136) écrit, p. 111 : « La Constitution *Pastor aeternus* de 1870 est encore ponctuée par le terme « potestas » et souligne fortement les notions « auctoritas », « iurisdictio », « principatus » et « regimen » sans qu'elle emploie une seule fois le concept « *ministerium* » ou « diaconia ». Par contre, la Constitution *Lumen Gentium* de 1964 fait de ce dernier son idée directrice. Autres « nouveautés » frappantes : l'orientation expressément pastorale et principalement missionnaire (LG 17, 25, 27), l'instance sur le ministère de la Parole (LG 11, 17, 23, 24, 25), sur le sacerdoce général des fidèles (10, 11, 31, 34) et sur la variété de ministères tant charismatiques qu'institutionnels dans le peuple de Dieu (12, 13, 32), enfin l'affirmation explicite de la collégialité épiscopale ». Notons que si « potestas » apparaît 89 fois dans les textes de Vatican II, le mot (au singulier) concerne 45 fois Dieu ou le peuple de Dieu. Jamais on ne parle de « potestas ordinis », « potestas iurisdictionis », ce qui est d'autant plus notable que Vatican I le faisait, que le schéma préparatoire le faisait et que les rapports antépréparatoires des évêques et des Facultés de théologie demandaient qu'on précisât ces notions et leurs rapports.

textes est instructive. Signalons seulement, en renvoyant à la publication topique[33], ces termes employés par Vatican II, jamais par Vatican I : *amor* (113 fois), *dialogus, evangelizatio* (31 fois), *evangelizare* (18 fois), *fraternus* (49 fois), *fraterne* (12 fois), *fraternitas* (26 fois), *historia* (63 fois), *laicus* comme substantif (200 fois), *ministerium* (147 fois), *ministrare* (31 fois), *missionalis* (75 fois), *novitas* (39 fois), *pauper* (42 fois), *servire* (17 fois), *servitium* (80 fois)... D'autres termes interviennent dans les deux conciles, mais en proportion très inégale, même compte tenu de la grande inégalité du nombre de pages. En voici un exemple significatif : *evangelium* ne se trouve qu'une fois dans les constitutions de Vatican I, qui a même remplacé l'admirable *Evangelium* du chapitre de Trente sur Écriture et traditions (DSch 1501) par « supernaturalis revelatio » (DSch 3006) ; Vatican II a *evangelium* 157 fois...

Societas perfecta. Cela n'a jamais signifié que l'Église serait sans défaut mais, avant Vatican II et Paul VI, on n'avait jamais dit, à un niveau aussi officiel et de façon si publique, que l'Église est en perpétuel besoin de réforme. C'est dit, désormais, et mis en route[34]. Cela supposait une meilleure conscience de la distance qui sépare l'Église du Royaume, et de l'historicité de cette Église, dont nous dirons un mot plus loin. Le terme, nous le savons, signifie deux choses que Vatican II n'a pas ignorées : 1) que l'Église a par elle-même tout ce qu'il faut pour réaliser sa fin : Vatican II en parle, serait-ce discrètement, dans un climat de mission, de charge, de devoirs[35], et surtout sans insister, comme faisaient les textes officiels et les manuels, sur le droit de coaction et de punir... ; 2) le thème et les exigences de la « libertas Ecclesiae », d'autant plus que l'Église du concile a pris sa liberté à l'égard même des régimes de « chrétienté » ou d'« État

33. R. Aubert, M. Gueret, P. Tombeur, *Concilium Vaticanum I. Concordance, Index, Liste de fréquence, Tables comparatives* (« Informatique et étude de textes », IX), Louvain, 1977, p. 202-239 (notre présentation : « Rev. Sc. ph. th. », 62 (1978), 61-64).

34. Concile : *Lumen Gentium* n°s 6 et 8 (« purifier ») : *Unitatis redintegratio* n°s 4 et 6 (« réforme »). Paul VI : recueil cité supra (n. 29), pp. 100, 132, 159, 168, 214 ; *Ecclesiam Suam* (AAS 56 (1964) 628-630) ; audience du 7 mai 1969 (« Doc. Cath. », 1969, p. 506).

35. Voir *Lumen Gentium* n° 27 : décret *Christus Dominus* n°s 8 et 16.

catholique »[36]. Mais le contexte théologique de cette fière affirmation de liberté apostolique est différent de ce qu'il était depuis les luttes endémiques entre les deux « Pouvoirs » (c'est-à-dire depuis le XIe siècle). Cela tient, comme nous le verrons, à une conception renouvelée du « temporel ». L'Église va chercher l'appui de sa liberté moins dans un accord juridique avec le Pouvoir étatique que dans la dignité de la personne humaine et dans la liberté de croire qui lui est indestructiblement liée.

En ces sens-là, Vatican II honore l'idée de « societas perfecta ». Mais dans la restauration catholique du XIXe siècle et jusqu'au plein déploiement de l'Action Catholique, le thème a représenté *concrètement* autre chose, dont le concile s'est affranchi, c'est à savoir une autosuffisance de l'Église comme vie ensemble des catholiques et comme monde culturel. J'ai connu cette Église-là, qui avait sa force et sa grandeur. L'Église avait constitué comme un double catholique des structures et cadres de toute la vie : écoles, universités, hôpitaux, sociétés de sport, cinémas, syndicats catholiques, et des journaux, une littérature catholiques. Cela dans un climat obsidional de défense contre une véritable conspiration, donc de fermeture à ce qui venait du dehors[37]. Depuis Léon XII (1823-29) les sociétés et œuvres de protection des catholiques s'étaient multipliées. Les clercs étaient protégés par une apologétique toujours triomphante. J'ai encore connu tout cela !

L'attitude du concile et celle de Paul VI sont bien différentes. Certes ils savent, ils proclament que l'Église est autre chose que le monde, que la vie chrétienne a ses exigences propres[38]. Mais ils formulent le programme d'une Église dans le monde global des hommes, qui n'est plus celui de la chrétienté. Le concile, ce n'était pas un groupe autorecruté et clos, vivant dans son monde

---

36. Voir la déclaration *Dignitatis humanae personae*, n° 13 ; constitution pastorale *Gaudium et spes*, n° 42, § 5 ; etc.

37. Voir, par exemple, les documents, souvent des allocutions consistoriales, auxquels renvoie le Syllabus. On les trouve réunis, texte latin et traduction, dans *Recueil des Allocutions consistoriales, Encycliques et autres Lettres apostoliques... citées dans l'encyclique et le Syllabus du 8 décembre 1864*. Paris, 1865. Et cf. notre *Église catholique et France moderne*, Paris, 1978, p. 31-37.

38. C'est par là que commence la section d'*Ecclesiam Suam* consacrée au dialogue, n°s 52 sv.

à lui, c'était la réunion des pasteurs venant de toutes les régions du monde ! Il commençait par un message au monde (20. X. 1962) et se terminait par une constitution pastorale sur l'Église dans le monde de ce temps (7.XII.1965) et par sept messages lancés sous la voûte du ciel aux diverses catégories de l'humanité (8.XII.1965). Quant à Paul VI, il faut d'abord l'entendre ou le lire. Quelques mois après la suppression des prêtres-ouvriers, il écrit :

> Ces assemblées chrétiennes n'étaient souvent que des groupes d'élite, les foules manquaient, le peuple semblait dans son immense majorité inexorablement absent.
> Reviendra-t-il ? Il ne reviendra pas.
> C'est aux prêtres à se déplacer, non au peuple. Inutile que le prêtre sonne sa cloche : personne ne l'écoute. Il faut qu'il entende les sirènes qui viennent des usines, ces temples de la technique où vit et palpite le monde moderne. C'est à lui de se refaire missionnaire, s'il veut que le christianisme demeure et redevienne un ferment vivant de la civilisation [39].

Et c'était, dix ans plus tard, *Ecclesiam Suam* rappelant que la distinction d'avec le monde n'est pas séparation du monde [40], puis prenant parti contre un retrait du monde (n° 70), proclamant enfin : « On ne sauve pas le monde du dehors ; il faut, comme le Verbe de Dieu qui s'est fait homme, assimiler, en une certaine mesure, les formes de vie de ceux à qui on veut porter le message du Christ ; sans revendiquer des privilèges qui éloignent, sans maintenir la barrière d'un langage incompréhensible, il faut partager les usages communs, pourvu qu'ils soient humains et honnêtes, spécialement ceux des plus petits [...]. Il faut se faire le frère des hommes [...] » [41]. Un mois plus tard, ouvrant la troisième période du concile, le 14 septembre 1964, le Pape disait : « L'Église n'est pas à elle-même sa propre fin mais elle désire être toute entière au Christ, par le Christ, dans le Christ,

39. Préface, datée du 23 août 1954, au recueil de Mgr Veuillot, *Le Prêtre*.
40. N°s 55 et 56 (AAS 56 (1964), 627 et 628). Cité par le décret *Presbyterorum Ordinis* n° 3.
41. N° 78 : AAS, p. 646 sv.

toute entière *aux hommes, parmi les hommes, pour les hommes* »[42].

Dans l'ecclésiologie de Vatican II cela a donné l'idée de l'Église sacrement du salut, « signe et moyen de l'union intime avec Dieu et de l'unité de tout le genre humain »[43]. Notion dynamique, connotant une destination au-delà de l'Église, à savoir pour les hommes. C'est la mission comme « être avec », comme « dialogue »[44].

Ce dialogue n'est pas simple procédé pédagogique. Chez Paul VI, c'est le dialogue du médecin avec son malade : dans le discours de clôture de la quatrième période, 7 décembre 1965, c'est la charité du bon Samaritain pour son blessé[45]. Le discours de l'O.N.U. du 4 octobre 1965 se termine par un appel à la *metanoia* (le texte italien a gardé ce mot néotestamentaire). Mais cet aspect de la pensée de Paul VI sera certainement exposé demain, journée consacrée à *Ecclesiam Suam*. Signalons seulement la concordance de l'encyclique *Redemptor hominis* de Jean-Paul II : le Christ est pour tout homme, en chaque homme. Aussi l'homme est-il « le chemin de l'Église ». C'est notre sujet même !

Dans la pensée de Paul VI, le dialogue comporte qu'on reçoive de l'autre, qu'on s'approfondisse grâce à l'autre[46]. Au concile, c'est dans le fond de *Unitatis redintegratio* ; c'est dit, bien qu'à mon avis de façon un peu étroite, dans le n° 44 de *Gaudium et spes* : « L'Église n'ignore pas tout ce qu'elle a reçu de l'histoire et de l'évolution du genre humain. » *Gaudium et spes* y reconnaît l'Esprit à l'œuvre (n° 26, § 4 ; 38, § 1). Le rapport de l'Église aux hommes, au monde, est compris comme étant historique. Mieux,

42. « Doc. Cath. », 1964, p. 1222.
43. *Lumen Gentium* n° 1. Cf. notre *Une peuple messianique...*, Paris, 1975.
44. Décret *Ad Gentes divinitus*, n° 11 ; déclaration *Nostra aetate*, n° 2 § 3.
45. On sait que plusieurs ont outrageusement abusé du passage de ce discours, « nous aussi avons le culte de l'homme » pour accuser Paul VI. Voir H. de LUBAC, *« Le culte de l'homme ». En réparation à Paul VI,* in *Petite Catéchèse sur Nature et Grâce*, Paris, 1980, p. 181-200. Cette image du médecin penché *avec amour* sur son malade, ou celle du bon Samaritain, revient souvent chez Paul VI à de nouveaux ordonnés. 26 juin 1955 ; Mercredi et Jeudi saints 1971 ; allocution du 31 décembre 1975. Cf. DANIEL-ANGE, *Paul VI. Un regard prophétique*. I. *Un amour qui se donne*, Paris-Fribourg, 1979.
46. Cet aspect, peu explicite dans le texte, est dans l'intention d'*Ecclesiam Suam* : cf. J. GUITTON, *Paul VI secret*, Paris, 1979, p. 53.

voici ce qu'on a pu suggérer[47]. Tandis que Vatican I a voulu affirmer Dieu dans sa transcendance, en excluant toute compromission de saveur panthéiste, Vatican II a montré, dans les rapports entre nature et surnaturel, création et salut, la réalisation d'un dessein historique découlant des missions du Verbe et de l'Esprit. En ce sens-là, Dieu dans le monde.

Que son œuvre s'accomplisse dans l'histoire ou le devenir du monde, cela a suscité, sorti du concile, un nouveau type de pasteurs. De Trente était sorti un nouveau type d'évêque, plus pasteur que seigneur. De Vatican II est sorti un type d'évêques qui ne se contentent pas de présider à une Église en soi, avec ses activités sacrales et ses œuvres confessionnelles, mais considèrent, comme l'ont dit le Synode de 1971 et Jean-Paul II, que le développement et la libération font partie de l'évangélisation. Une Église dans l'itinéraire des hommes.

Societas inaequalis, hierarchica. Paul VI, le concile, l'après-concile, non seulement n'ont pas méconnu cette donnée, mais ils l'ont affirmée. Seulement ils n'en ont pas fait la première valeur ni la porte d'entrée dans l'ecclésiologie. La première valeur est l'être chrétien fondé sacramentellement et engageant dans la mission de communiquer Jésus-Christ. Rien n'est plus significatif à cet égard que l'ordre des chapitres II et III de *Lumen Gentium.* Il y a eu vote à ce sujet. D'après mon journal, Paul VI n'était pas pour la séquence qui a été admise. Il tenait beaucoup à la mission propre des Douze, non immergée dans la mission globale et indistincte du peuple de Dieu : une note que nous avons reçue de lui à la Commission des Missions était significative. Le début du n° 5 de *Ad Gentes divinitus* s'efforçait de la satisfaire. Il reste que l'une des idées fécondes du concile est celle du peuple de Dieu, Peuple messianique[48]. Il est vrai qu'on entend parfois mal cette admirable expression, « Peuple de Dieu » : on la prend parfois comme si elle désignait les fidèles, la « base », à l'exclusion des

---

47. C. J. Pinto de Oliveira, *L'Esprit agit dans l'histoire. La totalisation hégélienne de l'histoire confrontée avec les perspectives du Concile de Vatican II,* in L. Rümpf et al., *Hegel et la théologie contemporaine. L'absolu dans l'histoire?* (Bibl. théol.), Neuchâtel-Paris, 1977, p. 54-73.

48. L'expression « populus messianicus » qu'on lit deux fois dans *Lumen Genitium* n. 9 est de moi, pour répondre à un souhait de Mgr Marty. Elle figurait au moins une fois dans *Gaudium et spes*, mais on l'en a retirée afin, m'a-t-on dit, de ne pas sembler séparer le Peuple de Dieu de l'ensemble des hommes.

ministres et pasteurs. Cela n'est pas. Elle reste une affirmation vraie et féconde, une des plus fécondes de tout le concile.

Qu'en est-il de la domination presque obsédante de la prépondérance pontificale dans l'ecclésiologie classique ? Ni Vatican II ni l'après-concile n'ont diminué l'autorité du Pontife romain — la crise de son magistère est venue d'ailleurs, de la partielle non-réception de *Humanae vitae* ! — on ne compte pas moins de seize mentions de l'union subordonnée au successeur de Pierre dans le chapitre III de *Lumen Gentium*. Mais le concile a rénové l'épiscopat sous sa forme de co-responsabilité dans les conférences épiscopales dont les sessions eussent été appelées « conciles » dans l'antiquité et au moyen âge. Le concile a réouvert le chapitre de la vie conciliaire ou synodale de l'Église. Ce n'est pas là un simple fait, cela est gros de nouveaux développements ecclésiologiques. Cela représente en effet une synthèse vivante entre un principe *spirituel* (non purement juridique) d'unité et une diversité tenant aux personnes, aux réalités ethniques, à la base. C'est la sortie d'une pure ecclésiologie de l'Église universelle qui voyait l'extension mondiale d'une seule Église, qui était de fait l'Église de Rome dont on oubliait la réalité d'Église locale : une universalité uniforme pragmatiquement subdivisée en diocèses [49]. Le principe de conciliarité vit de la reconnaissance de la réalité des Églises locales ou particulières. Or cette reconnaissance a été engagée par le concile : K. Rahner a même vu là l'apport le plus neuf et prometteur de celui-ci. Cette théologie a progressé depuis et n'a pas fini de s'approfondir.

Des structures de représentation et d'expression de l'*Ecclesia* se mettent en place : synode des évêques, synodes nationaux, conseils presbytéraux et conseils pastoraux. Dans sa conférence donnée en 1962 à l'Université du Sacré-Cœur de Milan sur l'étude des Conciles et la vie de l'Église, le cardinal Montini avait cité l'article célèbre de Newman sur la consultation des fidèles en matière de doctrine. La question de la pleine indigénisation des

49. Cf. notre étude *De la communion des Églises à une ecclésiologie de l'Église universelle*, in *L'Épiscopat et l'Église universelle*, sous dir Y. Congar et B. D. Dupuy (Unam Sanctam 39), Paris, 1962, p. 227-260. Comp. J. M. R. Tillard, *La juridiction de l'évêque de Rome*, in « Irénikon », 51 (1978), 358-373, 509-520 (p. 509 sv.).

Églises naguère terres de mission est plus posée que résolue. J'ai été impressionné par cette remarque : S. Paul ne fondait pas de missions mais des Églises. Cela veut dire non une transplantation, mais une germination autochtone... Qu'en est-il en Afrique, en Asie, en Océanie ? Le large, trop large abandon du latin est un fait culturel d'une portée mal prévisible. Dans l'Église il peut diversifier la liturgie, favoriser la créativité, mais surtout une nouvelle et plus large participation des communautés. Nous partageons avec beaucoup d'autres, en particulier nos amis Orthodoxes, la conviction que cette pratique ecclésiale doit prendre appui sur la plus profonde théologie de la Tri-unité de Dieu et sur une Pneumatologie. Quel beau travail en perspective !

2. Un changement dans la vision et la vie de l'Église à partir d'un changement dans la vision du temporel ou du monde

Le cardinal Montini disait à des jeunes prêtres, en janvier 1963 : « Au concile *l'Église se cherche elle-même* ; elle tente avec une grande confiance et avec un grand effort de mieux se définir, de comprendre elle-même ce qu'elle est. Après vingt siècles d'histoire, l'Église semble submergée par la civilisation profane, comme absente du monde actuel. Elle éprouve alors le besoin de se recueillir, de se purifier, de se refaire, pour pouvoir reprendre avec une grande énergie son propre chemin... Tandis qu'elle entreprend ainsi de se qualifier et de se définir, *l'Église cherche le monde*, tente de venir en contact avec cette société... Et de quelle manière réaliser ce contact ? Elle raccroche le dialogue avec le monde, lisant les besoins de la société où elle opère, observant les carences, les nécessités, les aspirations, les souffrances, les espérances qui sont au cœur de l'homme »[50]. Ces pensées établissaient un lien entre les deux termes du discours du 5 décembre 1962, « Ecclesia ad intra — Ecclesia ad extra » et annonçaient le lien que développerait *Ecclesiam Suam*, le

50. Card. Montini, *Discorsi al Clero 1957-1963*, Milano, 1963, p. 78-80, cité par M.D. Chenu, in *Peuple de Dieu dans le monde*, Paris, 1966, p. 12, n. 1 : soulignés du P. Chenu.

dialogue, l'amour servant se penchant sur les blessures de l'humanité... C'était dire que l'Église ne peut se bien comprendre elle-même que dans son rapport avec le monde, et non pas un monde abstrait, mais le monde concret, historique.

Un des manques les plus dommageables de la formation du clergé au XIXe siècle et encore au début de ce siècle-ci a été le manque de connaissance de l'histoire et d'ouverture au sens historique. J'ai sur ce point toute une petite documentation. C'était lié avec sa faible culture biblique et avec une présentation toute conceptuelle — juridique de l'Église. La même raison provoquait une absence du sens eschatologique. Il y avait bien un « De ultimis rebus » mais qui n'était qu'une étude du *quid* de ce qui existe après cette vie : mort, purgatoire, ciel, enfer [51]. Le sens eschatologique est autre chose, c'est la conscience que tout le terrestre est pris dans un mouvement, une histoire qui va à un terme et reçoit de ce fait son animation et son sens en tant même que mouvement ou histoire. Un des manques de la religion classique a été son absence d'espérance pour le monde comme tel. L'espérance était individuelle, comme les « fins dernières », non cosmique, ni sociale, ni historique. C'était aussi un manque des documents du magistère romain. Il est patent, par exemple, dans l'encyclique *Quas primas* établissant la fête du Christ-Roi (11 décembre 1925), alors que la liturgie de la fête, grâce à d'admirables textes bibliques, ne manquait pas de cette perspective ! Plusieurs Pères conciliaires ont encore reproché au schéma *De Ecclesia*, pourtant déjà rénové, discuté dans la deuxième période du concile (1963), de manquer de sens eschatologique [52]. Alors que « l'Église ne peut être conçue autrement que comme le peuple eschatologique de Dieu cheminant à travers le temps, annonçant la mort et la résurrection du Seigneur, jusqu'à ce qu'il vienne » (Mgr László).

---

51. C'est patent dans les manuels, dans l'article *Eschatologie* du *Dict. Théol. Cath.*, t. V, 1913, col. 336, par Mangenot : à peine une colonne.

52. Ainsi Mgr Ziadé, archevêque maronite de Beyrouth : Mgr László, évêque d'Eisenstadt (Autriche) : cf. *Discours au Concile Vatican II*, édité par Y. CONGAR, H. KÜNG, D. O'HANLON, Paris, 1964, respectivement p. 41 et 52. Dans *Acta synodalia...*, vol. II. Periodus secunda. Pars III, p. 213 pour Ziadé (22.X.1963) et p. 498 pour László (15.XI.1963). Comp. CARD. KÖNIG, *loc. cit. infra* n. 56.

Cela avait donné une religion sans « monde », à quoi a correspondu un monde sans religion. On a pu relever l'absence ou l'insuffisance des articles suivants dans l'énorme (et si utile !) *Dictionnaire de Théologie Catholique* : 41.338 colonnes en quinze énormes volumes publiés de 1903 à 1950 :

> A *Profession*, nous trouvons un article Profession de foi ; à *Métier* : rien ; à *Travail* : rien ; à *Profane* : rien ; à *Famille* : rien ; à *Paternité* : rien ; à *Maternité* : rien ; à *Femme* : rien ; à *Amour* : un tiers de colonne ainsi distribué : amour de Dieu : voir charité ; amour du prochain : voir charité ; amour-propre : quelques lignes où l'on vous renvoie à « ambition » ; amour pur : voir charité ; mais sur l'amour humain proprement dit : rien ; à *Amitié* : rien ; à *Bonheur* : un tiers de colonne et on nous renvoie à l'article « béatitude » ; à *Vie* : un article « vie éternelle » ; à *Corps* : un article... sur les corps glorieux ; à *Sexe* : rien ; à *plaisir* : rien ; à *Joie* : rien ; à *Souffrance* : rien ; à *Maladie* : un article qui commence par ces mots : « Sous ce titre nous groupons divers cas d'exemption de la loi qu'entraîne pour les malades le mauvais état de leur santé » ; à *Mal* : 25 colonnes ; à *Économie* : rien ; à *Politique* : rien ; à *Pouvoir* : enfin un long article de 103 colonnes (4 fois plus que pour le mal) sur... « le pouvoir du Pape dans l'ordre temporel » !
>
> A *Technique* : rien ; à *Science* : encore un long article divisé en quatre points : science sacrée, science de Dieu, science des anges et des âmes séparées, science du Christ... mais sur ce que nous appelons la science : rien ; à *Art* : un long article sur... l'art chrétien primitif ; à *Beauté* : rien ; à *Valeur* : rien ; à *Personne* : une ligne : « voir hypostase » ; à *Histoire* : rien ; à *Terre* : rien ; à *Monde* : rien ; à *Laïc* et à *Laïcat* : rien, sinon un article sur le laïcisme stigmatisé comme une hérésie ![53].

La vision du concile, par contre, celle de *Lumen Gentium*, a été résolument d'histoire du salut, finalisée par l'eschatologie. Et cela, pas seulement parce que le concile a assumé le meilleur des études bibliques, patristiques, théologiques des trente années qui l'ont précédé, mais parce qu'il a été un concile pastoral ; doctrinal, certes, mais dans une visée pastorale et mené par des pasteurs. Ceux-ci ne pouvaient se suffire de répéter des thèses purement spéculatives, exprimant un pur « en soi » ; ils parlaient

---

53. Union catholique des Scientifiques français : Bulletin n. 92, juin 1966, p. 11-12. Et cf. *Supra*, n. 51.

de l'Église concrètement engagée dans le monde et l'histoire des hommes. C'est seulement en rejoignant ce monde et cette histoire que le christianisme serait événement dynamique[54]. Faire le bilan des énoncés de sens eschatologique dans *Lumen Gentium* serait fastidieux[55]. Il est bon cependant, même pour bien comprendre ce que nous avons à dire sur le renouveau venu en ecclésiologie d'une approche nouvelle du monde, de citer des passages du n° 48, qui ouvre le chapitre VII, « De indole eschatologica Ecclesiae peregrinantis... ».

> L'Église, à laquelle nous sommes tous appelés dans le Christ et dans laquelle nous acquérons la sainteté par la grâce de Dieu, n'aura sa consommation que dans la gloire céleste, lorsque viendra le temps où toutes choses seront renouvelées (Act 3, 1) et que, avec le genre humain, tout l'univers lui-même, intimement uni avec l'homme et atteignant par lui sa destinée, trouvera dans le Christ sa définitive perfection (cf. Eph 1, 10 ; Col 1, 20 ; 2 Pierre 3, 10-13).
>
> Le Christ élevé de terre a tiré à lui tous les hommes (cf. Jn 12, 32 grec) ; ressuscité des morts (cf. Rom 6, 9), il a envoyé sur ses apôtres son Esprit de vie et par lui a constitué son Corps, qui est l'Église, comme le sacrement universel du salut [...]. La nouvelle condition promise et espérée a déjà reçu dans le Christ son premier commencement ; l'envoi du Saint-Esprit lui a donné son élan et par lui elle se continue dans l'Église où la foi nous instruit même sur la signification de notre vie temporelle, dès lors que nous menons à bonne fin, avec l'espérance des biens futurs, la tâche qui nous a été confiée par le Père dans le monde et que nous faisons ainsi notre salut (cf. Phil 2, 12).
>
> Ainsi donc les derniers temps sont arrivés pour nous (cf. 1 Cor 10, 11). Le renouvellement du monde est irrévocablement acquis et, en toute réalité, anticipé dès maintenant [...]. Cependant, jusqu'à l'heure où seront réalisés les nouveaux cieux et la nouvelle terre où la justice habite (cf. 2 Pierre 3, 13), l'Église en pèlerinage porte dans ses sacrements et ses institutions, qui relèvent de ce temps, la figure du siècle qui passe ; elle vit elle-même parmi les créatures qui gémissent présentement encore dans les douleurs d'un enfantement et attendent la manifestation des fils de Dieu (cf. Rom 8, 22 et 19).

---

54. Voir quelques pages du P. Ed. SCHILLEBEECKX, *L'Église du Christ et l'homme d'aujourd'hui selon Vatican II*, Le Puy-Lyon, 1965, p. 146 sv.

55. Il est brièvement fait, p. 522-524 dans la remarquable étude du P. G. MARTELET, *L'Église et le temporel. Vers une nouvelle conception*, in *L'Église de Vatican II*, sous dir. G. BARAÚNA (Unam Sanctam 51 b), Paris, 1966, p. 517-539. Cette étude éclaire nos pages suivantes.

Ce texte contient en bref la nouvelle vision du temporel, du spirituel ou de l'Église vivant et œuvrant dans ce monde. Mais cela doit être expliqué.

On a quitté la problématique des deux pouvoirs qui, à travers bien des avatars, a dominé pendant quinze siècles, et qui a fini par faire concevoir l'Église elle-même sur un type analogue à celui des États terrestres et selon des catégories juridico-sociales comparables. Le schéma préparatoire comportait un chapitre de ce style, le neuvième, avec la thèse du pouvoir dit indirect de « l'Église » sur la cité temporelle, en raison de la subordination des fins. Le texte était richement documenté par des références aux papes de Benoît XIV à Jean XXIII. Cet exposé fut critiqué au concile [56] ; il ne parlait que droits de l'Église, alors que la vraie perspective est son devoir d'évangélisation, qui en suppose évidemment la liberté... Il reste quelque chose des positions classiques dans le n° 76 de *Gaudium et spes*, mais c'est tout. La perspective du concile est autre. Temporel et spirituel ne sont pas vus et définis en termes de pouvoir.

Le temporel, pour Vatican II, c'est toute l'œuvre humaine dans le temps. Il comporte tout l'effort fait par les hommes pour aménager humainement le monde et leur vie ensemble, ce dont parlent *Pacem in terris* ou *Populorum progressio*, et, entre autres, ces réalités sur lesquelles le *Dictionnaire de Théologie Catholique* est muet. Il a une ampleur cosmique, et en même temps il est marqué par l'historicité, la complexité et la suite des réalisations historiques. Jean XXIII et Paul VI dans *Octogesima adveniens* les ont distinguées même des idéologies qui ont pu les susciter...

Le spirituel mis en rapport avec ce temporel n'est pas davantage un pouvoir juridique. C'est le ferment qui travaille pour le Royaume de Dieu, pour l'eschatologie. Ce ferment est, en son principe, l'Esprit de Jésus-Christ qui agit, soit directement et librement, soit médiatisé par le Sacrement du salut qu'est l'Église, Peuple de Dieu. Peuple messianique, insérée dans le monde des hommes. *Gaudium et spes* parle de « la réciprocité des

56. Ainsi, dès le premier jour, 1er décembre 1962, par les cardinaux König, Alfrink, Ritter ; le 3 décembre par le cardinal Döpfner, Mgr Huyghe. Cf. *op. cit.*, n. 3, p. 133, 135, 137, 185, 197.

services que sont appelés à se rendre le peuple de Dieu et le genre humain dans lequel ce peuple est inséré » (n° 11 § 3 ; comp. n° 40 § 2 et, évidemment le n° 1). Ainsi l'Église est dans le monde, elle avance dans son histoire, mais le monde est pris dans le dessein de salut dont le point de source, en son milieu, est la Pâque de Jésus-Christ, dont le terme est le Royaume eschatologique et dont l'Église est ici-bas l'annonciatrice et le sacrement. Il ne s'agit pas de subordonner le temporel à l'Église mais de le référer à l'eschatologie, qui est la promesse de sa consommation.

Église et monde restent distincts, mais l'unité de fin dernière fait qu'en un sens il y a une seule histoire. Cette unité veut que le principe actif soit le même. Ce principe est le Christ : « le même Dieu est à la fois Créateur et Sauveur, Seigneur de l'histoire humaine et de l'histoire du salut »[57]. Comme dans *Lumen Gentium* et dans toute la pensée de Paul VI, tout est enveloppé dans le mystère du Christ.

Du côté des hommes, c'est le non-extrinsécisme de la grâce par rapport à la nature. Les travaux de Blondel, de Lubac, de K. Rahner ont trouvé leur consécration. Aussi bien le sujet de l'histoire terrestre et de l'histoire sainte est-il le même, l'homme individuel et social. En effet, l'action de l'Église passe par l'homme, qui est à la fois sujet du temps et de l'éternité. Nous retrouvons ici les thèmes chers à Paul VI, ceux en particulier de son discours de clôture de la quatrième période, mais déjà d'*Ecclesiam Suam* : l'homme avec ses aspirations et ses possibilités, l'homme inquiet et blessé, et l'Église lui offrant le modèle et la force de Jésus-Christ. Telle est la médiation entre l'Église et le monde : l'homme, Jésus-Christ. Depuis Léon XIII et surtout Pie XII les papes parlaient très haut de la dignité de la personne humaine. C'est ce qui relie à ces papes d'autrefois la déclaration sur la liberté religieuse à laquelle tenait beaucoup Paul VI[58]. Dans *Gaudium et spes* cette dignité prend la forme de l'homme fait à l'image de Dieu et appelé à la qualité de fils mais aussi pécheur et voué à la mort corporelle.

---

57. *Gaudium et spes* n° 41, § 2 ; comp. 42, § 2.

58. Cf. J. Courtney Murray, *Vers une intelligence du développement de la doctrine de l'Église sur la liberté religieuse*, in *La liberté religieuse*, sous dir. J. Hamer et Y. Congar (Unam Sanctam 60), Paris, 1967, p. 111-147.

Le risque ou la limite de ces considérations est de ne voir l'homme qu'individuel et intemporel. Cela a été articulé comme critique surtout par des chrétiens plus ou moins marxisés. C'est ici qu'une nouvelle réflexion s'impose qui, si je ne me trompe, n'a été vraiment faite ni par le concile ni par Paul VI. Il faudra pousser l'anthropologie jusqu'à ses dimensions historiques et sociales. Il faudra faire une synthèse entre le premier chapitre de la première partie de *Gaudium et spes* (n°s 12-22) et les signes des temps (n° 4 suiv.), toute la suite de la constitution pastorale, *Populorum progressio*, le Synode des évêques de 1971 et même, désormais, Medellín, Puebla et les déclarations de Jean-Paul II au Mexique, en Afrique, au Brésil. Il faudra voir historiquement et socialement l'expression trois fois répétée dans *Redemptor hominis* que « l'homme est le chemin » par lequel avance l'Église.

On entre alors dans un domaine où la déduction de principes abstraits est tout à fait insatisfaisante. On rencontre des réalisations *historiques* diverses. Paul VI connaissait ce concept au moins par *Humanisme intégral* de son ami Jacques Maritain dont plusieurs évêques (Argentins) avaient demandé la condamnation dans leurs rapports de la période antépréparatoire et qui a été visé par des partisans de la vérité en soi [59]. Mais depuis Maritain nous avons eu, de Paul VI, *Octogesima adveniens* (1971), qui est à mes yeux le type d'un nouvel exercice du magistère pastoral. Subsidiairement, nous avons eu Lebret, Vincent Cosmao, Leonardo Boff, Joseph Comblin, Gustavo Gutiérrez. La synthèse se prépare dans les larmes, dans le sang de Mgr Romero et de tant d'autres. Une Église du peuple naît ou renaît, qui a les promesses du sérieux et de la durée, puisqu'elle a ses martyrs. Il ne s'agit plus d'une prétention du pouvoir sacerdotal à l'égard du pouvoir politique. Il s'agit d'une influence, d'un rayonnement effectif et concret de l'Évangile vécu dans la conscience de chrétiens. Ainsi se met à exister une Église de forme nouvelle, consistant en ceci : l'Évangile vécu dans les réalités qui constituent la vie terrestre ou « temporelle » des hommes. Celle-ci répand l'Évangile, qui agit dans les âmes.

59. A. ACERBI, *op. cit.*, n. 5, p. 145, n. 122.

Ah ! qu'on a eu raison de mettre sur le cercueil de Paul VI posé à terre un Évangile ouvert, dont le vent tournait les pages ! Cette Église, ce n'est pas la seule forme d'une Église dans l'itinéraire des hommes. Les requêtes africaines ou asiatiques de véritable indigénisation sont aussi d'authentiques requêtes d'Église dans l'itinéraire des hommes. La voie est en principe ouverte depuis que le Fils de Dieu s'est fait homme et nous a envoyé d'auprès du Père l'Esprit qui fait chanter la gloire de Dieu dans toutes les langues des hommes !

CHAPITRE II

STRUCTURE OU RÉGIME CONCILIAIRE DE L'ÉGLISE

D'Ockham à Cajetan — dont les positions sont plutôt divergentes ! — nombreux ont été les théologiens réclamant pour leur discipline et contre les canonistes le droit de traiter des conciles. Ils reçoivent ici satisfaction puisque ses directeurs ont demandé que ce fascicule de Droit canonique s'ouvre par un article de théologie. C'est juste, parce que les conciles, et plus encore la conciliarité sont une expression de ce que l'Église est et vit. *Ils doivent se comprendre à partir de l'Église*. Comme nous le verrons, les conciles sont des créations ecclésiastiques ; aussi bien en a-t-il existé plusieurs sortes [1]. Un inconvénient d'une *théologie* des conciles et de la conciliarité pourrait être, partant de l'Église, de présenter une image trop idéale, trop sublime. Or on connaît le mot pessimiste de saint Grégoire de Nazianze après son expérience de Constantinople 381, dont nous venons de célébrer glorieusement le centenaire...

Il est exact, H.J. Sieben le montre bien, que la réunion des apôtres et anciens dont parle *Ac 15* évoque la structure du

---

1. Non seulement conciles diocésains, provinciaux, nationaux, patriarcaux, œcuméniques, mais conciles dogmatiques, conciles de chrétienté (cf. l'article de A. HAUCK, « Die Rezeption und Umbildung der allgemeinen Synode im Mittelalter », in *Historiche Vierteljahrsschrift*, Dresde, 10, 1907, 465-482), concile pastoral (Vatican II). Le « grand et saint concile » que préparent les Orthodoxes a son type propre : en un sens, il est déjà commencé, alors qu'il n'est pas encore réuni.

sanhédrin, c'est-à-dire d'un conseil communautaire. Mais, bien que le Moyen Age ait affectionné la référence des conciles aux *Actes* (on y découvrait tantôt quatre, tantôt huit « conciles » des apôtres : ainsi au xve siècle), on peut discuter sur la qualité de « concile » pour l'assemblée de Jérusalem. En particulier, il n'y a pas eu là rassemblement des représentants de plusieurs Églises locales. Cela a été un conseil plus qu'un concile. Il est exact aussi qu'un nom pour désigner le concile est συνέδριον, qui est le terme grec pour *sanhédrin*. J. Ratzinger s'y réfère avec prédilection dans sa critique de H. Küng qui, lui, faisait du concile une expression et presque une forme de l'*ecclesia* : le concile, dit-il, est sanhédrin, non Église [2]. Notre thème à nous est de manifester la continuité des conciles, surtout des œcuméniques, avec l'être profond de l'Église, bref le lien entre concile et conciliarité.

Créations ecclésiastiques, les conciles sont en effet une expression de la conciliarité qui, elle, découle de la nature même de l'Église, qui est d'être une communion, κοινωνία Or la communion résulte du fait que des mêmes réalités, identiquement les mêmes, sont assumées et vécues par des personnes différentes, éventuellement nombreuses. Ces réalités sont — nous ne citons que des textes qui ont le mot κοινωνια — Dieu (*1 Jn 1*, 6), le Christ (*1 Co 1*, 9 et *10*, 16 ; *Ph 3*, 10), le Saint-Esprit (*2 Co 13*, 13 ; *Ph 2*, 1), la foi (*Phm 6*), l'Évangile (*Ph 1*, 5), l'Eucharistie (1 Co 10, 16). Le sens réel de κοινωνία, communion, est très proche de μετοχή, participation. C'est parce que plusieurs personnes ont part aux mêmes réalités, identiquement les mêmes, qu'elles ont entre elles un lien d'unité : cf. *1 Jn 1*, 3. 7 ; *Ga 2*, 9 ; *Ac 2*, 42). Mais le caractère personnel, et donc original, de ceux qui participent démultiplie la réalité participée : ils la vivent selon des conditions diverses, chacun selon son tempérament, ses dons, sa culture, son histoire. Cela dans l'espace et à travers le temps. Il s'agit des personnes individuelles, mais aussi des quasi-personnes collectives : provinces, familles religieuses, peuples, Églises locales ou particulières...

On a donné le nom de concile à des réunions de bien des

---

2. J. RATZINGER, « Zur Theologie des Konzils » (texte très réélaboré d'un article de *Catholica* 15, 1961, 292-304), dans *Das neue Volk Gottes*, Düsseldorf, 1969, 147-170. H. KÜNG, *Theol. Quart.* 141, 1961, 50-77, et *Strukturen der Kirche*, Fribourg, 1962.

sortes. Parfois de simples conseils pour régler des questions pratiques particulières. Ce que nous allons dire s'applique proprement aux conciles intéressant la vie de l'Église à un niveau plus profond, surtout si une question de doctrine est engagée. Ce peut être un « concile » réduit en nombre : exemple d'Orange 529, mais il a reçu l'approbation du pape Boniface II. Un concile vise à exprimer la communauté de vues, voire l'unanimité de l'Église à partir de celle des Églises locales ou particulières « *in quibus et ex quibus una et unica Ecclesia catholica existit* » (*LG* 23) : soit que cette unanimité existe, mais implicite, et doive être dégagée et explicitée, soit qu'elle doive être recherchée pour être exprimée.

ÉGLISE, CONCILE ET FOI

La première réalité unique et commune par laquelle existe l'Église est la foi : l'Église est « *congregatio fidelium* ». Trois précisions à ce sujet, qui intéressent les notions de conciliarité et de concile :

1. — La foi est l'affaire de tous les membres de l'Église. C'est pourquoi la réunion d'un concile s'impose lorsqu'il y a « *fidei causa* »[3]. C'est pourquoi des laïcs y prendront part dans des conditions à préciser. Le pape Nicolas Ier écrit à l'empereur Michel, en 865, pour réfuter sa prétention à s'immiscer dans le gouvernement de l'Église : « Où donc avez-vous vu que les empereurs vos prédécesseurs aient assisté aux conciles, sauf peut-être quand il s'agissait de la foi, laquelle est universelle, commune à tous, et n'appartient pas aux seuls clercs, mais aussi aux laïcs et absolument à tous les chrétiens[4]. » C'était un principe communément reçu au Moyen Age : toute la communauté est concernée par les questions de foi ou d'hérésie. Il s'agit du sens même de ce qu'est l'*ecclesia*. Saint Athanase souligne que Nicée

3. Ainsi IVe concile de Tolède, 633, présidé par saint Isidore, can. 3 : MANSI 10, 616-617.
4. Dans GRATIEN, C. 4 D. 96 : FRIEDBERG 338. Texte déjà reproduit par DEUSDEDIT (éd. von Glanvell, IV 164), par la « *Collectio trium Partium* » (I, 62, 73).

n'a fait qu'exprimer la foi des Pères, la παράδοσις de l'Église : c'est cela qui fonde l'autorité de sa définition [5]. Le concile est une expression de l'*ecclesia* dans la continuité et l'actualité de sa foi. La riche notion slavophile et orthodoxe de *sobornost* a sa place ici pour ce qu'elle exprime de valable et de profond [6]. L'idée est que la personne spirituelle n'a la plénitude de sa vérité que dans une communion où se dégage une unanimité qui respecte la liberté des personnes.

2. — St. Khomiakov a poussé cette idée jusqu'à la méconnaissance d'une autorité doctrinale des évêques réunis en concile. Il a été critiqué pour cela par les théologiens orthodoxes grecs et même des hommes d'Église russes. Il confondait le fait de garder la foi et la transmettre, qui est l'acte de tout le corps, pour lequel fidèles et pasteurs « conspirent », et le fait de définir la foi de l'Église, qui est le privilège des pasteurs [7]. La communion des évêques qui s'exprime au concile est fondée dans la communion des Églises et de leurs fidèles, mais selon les charismes propres à l'ordre des pasteurs, charismes qui répondent à leur fonction et responsabilité. Les charismes de la « succession apostolique » existent, originaux, dans l'apostolicité qui est le fait de tout le corps et de ses membres.

3. — La foi de l'Église est professée communautairement. Cela, de façon ordinaire, dans la liturgie. Avant que des professions de foi soient précisées dans leur aspect intellectuel, surtout pour séparer les hérétiques de l'Église, celle-ci a connu la confession liturgique de la foi [8]. Elle atteint sa plénitude sous sa forme doxologique dans la célébration de l'Eucharistie, surtout celle de l'évêque entouré de son presbyterium et de son peuple. Du reste,

5. Cf. H.J. SIEBEN, « Zur Entstehung der Konzilsidee. I. Werden und Eigenart der Konzilsidee des Athanasius von Alexandrien », in *Theol. u. Philo.* 45, 1978, 353-389 ; repr. in *Die Konzilsidee der Alten Kirche*, Paderborn, 1979.

6. Exposé et indications bibliographiques dans nos *Jalons pour une théologie du laïcat*, Paris, 1953, 380-386.

7. Cf. Vatican II, *Dei Verbum*, n° 10 : la *conspiratio* très newmanienne de ce texte est la σύμπνοια de saint Basile, *Epist.* 164, 1 (*Pg* 32, 636).

8. Point systématisé, à la suite de R. Sohm, par W. MAURER, *Bekenntnis und Sakrament. Ein Beitrag zur Entstehung der christlichen Konfessionen*, Berlin, 1939.

les anaphores ont un contenu et une structure semblables à ceux des symboles. Le lien intime entre foi, communion ecclésiale et eucharistie est très fort dans l'Église ancienne ; il est bien illustré, par exemple, par *le Pré spirituel* de Jean Moschus, fin VIe siècle. Si le concile est l'expression de la communion de l'Église en acte de déterminer ses règles de vie, il doit être, à sa façon, doxologique et eucharistique. Les conciles sont des célébrations saintes. Mgr Jaeger le rappelait lors de l'annonce de Vatican II.

TROIS GRANDES VALEURS OU ASPECTS DU CONCILE ŒCUMÉNIQUE

1. *La représentation des Églises et de l'Église*

D'autres que des évêques ont participé aux conciles, et cela aussi bien à Nicée, 325, qu'à Carthage au IIIe siècle. Mais seuls les évêques signent les décisions[9]. Les évêques représentent leur Église, non au sens de délégués, mais au sens ancien de la représentation-personnification d'un corps par sa tête. Döllinger a donné une expression à la première conception[10], et J.F. von Schulte a réclamé, contre Vatican I, que la voix des Églises plus peuplées et plus développées ait plus de valeur. Or, il est vrai que les évêques sont la voix de leur Église et qu'ils la représentent, mais ils n'en sont pas les délégués au sens individualiste et démocratique du terme. Le sens traditionnel des choses est exprimé par saint Cyprien : « L'Église est le peuple uni à l'évêque et le troupeau adhérant à son pasteur. Tu dois le savoir : l'évêque est dans l'Église et l'Église est dans l'évêque[11] ». Il y a là quelque chose d'analogue à ce qui caractérise ceux que nous appelons les Pères, et du reste ce terme a qualifié les membres du concile, que

9. Dans la discipline catholique sont aussi, de fait, membres du concile, non seulement les évêques non résidentiels, mais des supérieurs religieux non-évêques exerçant une juridiction.

10. Döllinger (avec référence à Fénelon) : « Les évêques sont au concile les ambassadeurs et les chargés d'affaire de toutes les Églises du monde catholique ; ils ont, au nom de l'universalité, à déclarer ce que cette universalité des croyants pense et croit ; il faut donc les considérer comme des fondés de pouvoir qui n'ont pas le droit de dépasser leur procuration » : article du 9 mars 1970, dans *Allgemeine Zeitung* du 11 mars ; dans *Collectio Lacensis VII, 1499-1506* (1502).

11. *Epist.* 66, 8, en 254 : Hartel 732.

nous appelons encore ainsi. D'une certaine façon, ils ont fait l'Église, ils ont déterminé quelque chose de sa vie. Mais ils ont d'abord été ses fils et ne lui ont apporté (développé) que ce qu'ils ont reçu d'elle (enveloppé). C'est une formule de saint Augustin, mais saint Athanase dit la même chose des membres du concile de Nicée [12].

Cette valeur de représentation peut être appliquée singulièrement à l'évêque de Rome. Si l'Église entière est en lui et s'il la personnalise toute, c'est que d'abord il est dans l'Église, non au-dessus de telle manière qu'il ne dépendrait pas d'elle ni ne recevrait d'elle. Une certaine idéologie de la «*plenitudo potestatis*» peut avoir sa vérité au plan juridique, mais laisse entière la loi de la communion dans la foi, en vertu de laquelle le pape qui n'aurait pas la foi de *l'Église* ne serait plus pape. Il n'est «au-dessus» qu'en étant «dans». Le *sensus Ecclesiae*, φρόνημα ἐκκλησιαστικόν, s'exprime *aussi* après un concile, par le processus délicat mais profond de la «réception».

2. *Le concile, venue ensemble et assemblée*

Les *Sententiae episcoporum* du concile de Carthage 256 commencent ainsi : «*Cum in unum Carthagini convenissent... episcopi plurimi... cum presbyteris et diaconibus, praesante etiam plebis maxima parte*». Il est essentiel pour un concile qu'on *vienne* et qu'on *s'assemble*. Le mot σύνοδος, mot grec pour «concile», exprime l'idée de route faite ensemble. Le terme du Nouveau Testament qu'il faut évoquer ici est ἐπὶ τὸ αὐτὸ [13] : cinq fois dans les *Actes*. Au-delà de la simple présence dans le même temps ou le même lieu, il exprime la cohésion, l'unanimité de fidèles *assemblés*. Tous y font corps, comme dans la Jérusalem du *Ps 122,* 3.

L'assemblée apporte sa grâce propre, et cela à deux niveaux :

a) Au niveau de l'expérience humaine d'abord. On a parlé

12. S. AUGUSTIN, *Opus imperf. c. Iulian.* I, 117 (*PL* 44, 1125), S. Athanase : cf. H.J. SIEBEN, ét. citée supra (n. 5) 366 n. 59.

13. Sur lequel cf. P. SERRA ZANETTI, *Enôsis epi to auto. Un «dossier» preliminare per la storia dell'unità cristiana all inizio del II secolo,* Bologne, 1969, 154 sq. ; E. DELEBECQUE, «Trois simples mots chargés d'une lumière neuve», in *Rev. thomiste* 80, 1980, 75-85.

parfois de « concile tenu par écrit » à propos de la consultation par écrit de tous les évêques qu'ont faite, soit Pie IX avant sa dogmatisation de l'Immaculée Conception (*Ubi primum* : 2 février 1849), soit Pie XII avant celle de l'Assomption corporelle de la vierge Marie (*Deiparae Virginis* : 1er mai 1946). Ce n'était nullement un concile. Chacun a répondu de son bureau et n'a ni échangé avec les autres ni reçu d'eux aucune incitation. Dans l'assemblée, par contre, il s'opère une communication des idées, des convictions. C'est l'expérience séculaire dont témoignaient les Pères du Deuxième Concile de Constantinople, 553 [14], ou ceux de Vatican II, comme cet évêque américain, qui disait : « Par le contact étroit entre évêques, l'expérience limitée d'un individu devient l'expérience de toute l'Église, et en même temps l'expérience de l'individu se modifie [15]. » Alors qu'à répondre depuis son bureau l'individu n'apprenait rien et ne changeait pas, les Pères de Vatican II ont appris, par exemple en collégialité, en œcuménisme. Grâce aux échanges, aux discussions *pro et contra*, les conclusions peuvent atteindre une plus grande plénitude. Même les théologiens les plus favorables au pape contre le courant conciliaire l'admettaient [16].

b) Au niveau de l'assistance du Christ et du Saint-Esprit. Le Christ a promis la sienne là où deux ou trois seraient assemblés en son nom, *Mt 18*, 20 : c'est le grand texte conciliaire [17]. Quant à l'Esprit, c'est une conviction dont les témoignages abondent, 1) qu'il est donné à la concorde, au fait de s'accorder fraternellement, et 2) qu'il assure l'unanimité. Celle-ci est le signe qu'il a œuvré. On connaît le mot du pape Célestin Ier au concile d'Éphèse, 7 mai 531 ; il tiendra lieu de la centaine de témoignages semblables : « *Spiritus sancti testatur congregatio sacerdotum* [18]. » Möhler remarque : c'est quand les Apôtres ont

---

14. MANSI 9, 370 ; *Conciliorum Œcumenicorum Decreta*, sous la dir. de J. Alberigo *et al.*, Bologne, 1973, 108.

15. Cité par CAPORALE, *Les Hommes du Concile*, Paris, 1965, 137.

16. Ainsi CAJETAN, *Apologia*, éd. Pollet. Rome, 1936, n° 636. Comparer S. LÉON, *Epist.* 6, 5 ; 33 « *pleniore iudicio* ».

17. Notre article « Konzil als Versammlung und grundsätzliche Konziliarität der Kirche », dans *Gott in Welt. Festschr. K. Rahner,* Fribourg, 1964, 2, 135-165 ; texte français, sauf l'Appendice, in *le Concile au jour le jour. Deuxième Session*, Paris, 1964, 9-39.

18. *Epist.* 18 (E. SCHWARTZ, *Acta Conc. Oec.* I, II, 22 ; *PL* 50, 505). Cité par *L.G.* n° 23 § 3.

été réunis dans une prière unanime qu'ils ont reçu le Saint-Esprit, et il cite l'expression ὁμοθυμαδόν qu'affectionne l'auteur des *Actes*[19]. Bo Reicke dit qu'elle exprime « *die Einheit der Individuen als einer korporativen Totalität*[20] ». Aussi les conciles se sont-ils souvent déclarés « légitimement assemblés dans l'Esprit Saint ».

Ils ne font, en tout cela, que réaliser ponctuellement et exprimer la condition du Peuple de Dieu, de l'Église, Corps du Christ et Temple de l'Esprit Saint : de l'Église, très précisément, *comme assemblée* de frères convoqués par Dieu. Tel est le sens du texte célèbre de saint Irénée : « Tous ceux qui n'accourent pas à l'*ecclesia* ne participent pas à cet Esprit... Car là où est l'*ecclesia*, là est aussi l'Esprit de Dieu ; et là où est l'Esprit de Dieu, là est l'*ecclesia* et toute grâce[21]. » Il s'agit de la communauté concrète et de l'assemblée des fidèles. De même chez saint Hippolyte : « On sera empressé d'aller à l'*ecclesia*, là où fleurit l'Esprit[22]. » Il y a évidemment un passage homogène des communautés concrètes à l'Église universelle. Toute la Tradition tient qu'en vertu de la promesse exprimée en *Jn 16*, 17, l'Église universelle ne peut errer, habitée et gouvernée qu'elle est par le Saint-Esprit[23]. Quand cette promesse est appliquée au concile œcuménique, c'est parce qu'il est, par l'assemblée de ses pasteurs, une concrétion de l'Église universelle faite des Églises locales ou particulières.

3. *Au concile se totalise la conscience de l'Église*

Dans ses études si documentées (n. 5), H.J. Sieben a trouvé, dans les conciles, la volonté et le sentiment de totaliser le sens de l'Église prise synchroniquement ou diachroniquement[24]. C'est

19. Avec le sens de « en corps », *Ac 2*, 46 ; *5*, 12 ; *15*, 25, voire *12*, 20. Avec la nuance « d'un même cœur », *4*, 24. Avec celle « d'un même mouvement, comme un seul homme », *7*, 57 ; *8*, 6 ; *18*, 12 ; *19*, 29.

20. Bo Reicke, *Glaube und Leben der Urgemeinde*, Zurich, 1957, 21.

21. *Adv. Haer.* III, 24, 1 (*PG* 7, 966 ; Harvey 2, 131).

22. *Trad. Apost.* 35.

23. Citons seulement Thomas d'Aquin, *S. Th.* IIaIIae q. 1 a. 9 sed c ; Quodl. IX, 16. Et cf. *LG* 11.

24. Souvent les deux sont exprimés ensemble, ainsi saint Léon au sujet de Chalcédoine *« ab universis Romani orbis provinciis cum totius mundi est celebrata*

l'union de la catholicité et de l'apostolicité chère à la Commission *Faith and Order*. La totalisation de la Tradition selon la diachronie se manifeste dans les conciles par la lecture publique des conciles antérieurs, par la référence à l'Écriture et aux Pères. Cette référence a été active à Vatican II, où on ne pouvait lire publiquement les décisions des conciles antérieurs. Quant à la totalisation de la conscience de l'Église selon la synchronie, elle se réalise dans les échanges de l'assemblée comme telle, où sont présentes toutes les Églises. Tel est l'intérêt du critère d'œcuménicité pris de la participation des cinq patriarches, car les patriarcats représentaient un relais dans la réalisation de la collégialité des évêques, elle-même expression de la collégialité ou communion des Églises [25]. Le concile est la représentation de l'Église. Il réalise une concentration de la conscience de celle-ci. C'est ce qui donne à ses décisions cette densité en vertu de laquelle un concile agit longtemps : penser à ce qu'a été et est encore l'action de Trente, pour ne rien dire de celle, définitive et suprêmement sacrée, des quatre premiers conciles œcuméniques, œcuméniquement reçus.

Cette totalisation synchronique prend, dans le concile œcuménique, la forme suprême de l'acte collégial : un acte unique posé par un grand nombre agissant comme un seul corps de collège en acte. Immense importance, à cet égard, de la formule de proclamation des constitutions et décrets. De soi, le « [*Alexander, Pius*] *sacro approbante concilio* » faisait du pape *le* législateur appuyé sur le concile, bien que la formule eût parfois, dans l'histoire, un sens plus conciliaire. La formule employée par Paul VI le 4 décembre 1963 est, par contre, une expression qui unit le collège épiscopal et l'autorité propre du pape et qui fait vraiment *du concile* (dont le pape est membre !) le sujet de la décision [26]. L'unité organique de l'épiscopat, où un pouvoir

---

consensu et a sacratissimi concilii Nicaeni est indivisa decretis » (SIEBEN 119, n. 52), ou Martin Ier dans son encyclique du 31 octobre 649 à la fin du synode de Latran contre le monothélisme : MANSI 10, 1176 BC (SIEBEN 309), ou le patriarche de CP Taraise au sujet du concile de 787, deuxième de Nicée : MANSI 12, 1083 B et C (SIEBEN 311).

25. Sur cela, l'article de W. DE VRIES, *Concilium* 8, 1965, 63-77.

26. Cf. G. ALBERIGO, « Una cum patribus. La formula conclusiva delle decisioni del Vaticano II », dans *Ecclesia a Spiritu Sancto edocta. Mélanges G. Philips*, Gembloux, 1970, 291-319.

unique est exercé « *in solidum* » par beaucoup, répond à l'unité organique de l'Église, où beaucoup de personnes vivent une même vie : ce en quoi l'Église est à l'image de la Sainte Trinité [27]. « Qu'ils soient un *comme* (καθώς) nous sommes un » (*Jn 17*, 22).

Le concile n'est pas l'Église : il est un événement de sa vie

Les conseils sont des moyens ordinaires du gouvernement de l'Église : saint Cyprien s'en faisait une règle [28]. On sait qu'on a souvent rapproché *concilium* et *consilium* ; l'anglais n'a qu'un mot pour les deux. C'est pourquoi le concile de Nicée imposait la tenue d'un synode par province deux fois par an (canon 5). De même prévoit-on une tenue régulière des synodes des évêques à Rome. S'il s'agit, cependant, de conciles œcuméniques, ce ne sont pas des organismes habituels du gouvernement de l'Église. Ce sont des événements. Ils ont été convoqués à l'occasion de besoins particuliers, hérésies surtout, pour apporter la paix aux esprits ou aux Églises troublés (de fait ils ont souvent été suivis de difficultés graves !). Les conciles anciens n'avaient même pas de règlement fait d'avance. Cela a été une erreur, justifiable historiquement mais théologiquement discutable, du concile de Constance, de prévoir et prescrire la tenue de conciles généraux à intervalles réguliers (décret *Frequens*, 9 octobre 1417). Cette mesure reflétait une certaine idéologie, celle du conciliarisme, dans laquelle, d'ailleurs, tout n'est pas faux. Un anticonciliarisme caractérisé reflète l'idéologie contraire. Tel est, à notre avis, le cas des canons 222-229 du *Codex Iuris Canonici* de 1917. Ils correspondent à une situation de « *Pius, sacro approbante concilio* », non de « *una cum venerabilibus patribus* ». Il faudra que le nouveau Code s'aligne sur l'ecclésiologie de *Lumen gentium* qui a déjà connu, du reste, des développements touchant, par exemple, les Églises locales, les communautés de base, les ministères, l'œcuménisme et... la conciliarité comme marque essentielle de l'Église !

27. Vatican II, *LG* n° 4 avec citation de saint Cyprien ; *Unitatis redintegratio*, 2 § 4.

28. Cf. *Epist.* 14, 1, 2 et 4 ; 34, 4, 1.

Il est important que les principes qu'élabore la théologie aient leur traduction au niveau du droit. Des mesures juridiques impliquent une certaine théologie. Par exemple, dire que les évêques non résidentiels sont de droit membres du concile, ou dire simplement qu'ils peuvent y être invités, dépend d'une théologie de l'épiscopat, du collège épiscopal, des Églises locales. L'Orient a ici une sensibilité propre. Nous admettons que le *Codex* précise certaines choses touchant les conciles, mais nous souhaiterions qu'on y ménage une certaine flexibilité, que le texte garde une marge ouverte à la vie et à l'histoire.

Chapitre III

L'IDÉE DU CONCILE ET JEAN XXIII

Le vingtième anniversaire de l'ouverture du concile Vatican II a été l'occasion d'articles intéressants. L'excellent périodique des Jésuites de Zürich « Orientierung » a en particulier, dans son n° du 15 octobre 1982, publié la traduction d'une très éclairante étude de Peter Hebblethwaite, d'Oxford. L'auteur part de ce que Jean XXIII a consigné dans son journal à la date du 19 janvier 1959 : il lui est venu, comme inspiration soudaine, l'idée de réunir un concile, un synode du diocèse de Rome, et d'engager une mise à jour du Code de Droit canonique. Il en a fait part, ce jour-là, à son Secrétaire d'Etat, le cardinal Tardini, ainsi que de son intention de l'annoncer le 25 janvier. De fait, le journal du cardinal Tardini confirme cela. Les choses se compliquent cependant. En effet Mgr Capovilla, qui fut le secrétaire particulier de Jean XXIII, d'abord à Venise, puis à Rome, témoigne que le Pape a manifesté l'idée de réunir un concile, dès son élection, le 30 octobre 1958. Mieux : le cardinal Ottaviani a déclaré qu'il avait, ainsi que le cardinal Ruffini, suggéré au cardinal Roncalli l'idée de convoquer un concile, pendant le conclave de 1958.

La solution de cette énigme se trouve, comme le montre Hebblethwaite, dans ce que Jean XXIII lui-même a révélé de sa vie spirituelle. Il avait l'habitude de soumettre à une vérification ce qu'il pensait avoir reçu comme inspiration dans la grâce. Il a présenté comme une « seconde grâce » reçue le courage de suivre avec simplicité et confiance la réalisation d'idées simples, pas compliquées, mais de grande portée pour l'avenir, qui lui étaient venues. Le 30 octobre et le 19 janvier sont une même inspiration, celle de l'idée, celle de son épreuve dans la réflexion et la prière et celle du courage de la suivre en simplicité et confiance. L'« inspiration soudaine », qui l'étonnait tout le premier, était la grâce de simplicité et de courage confirmant une idée éprouvée à la lumière d'une disponibilité à la volonté de Dieu.

Quant à l'idée de concile proposée par le cardinal Ottaviani accompagné par le cardinal Ruffini, elle était l'écho d'un projet que Pie XII avait formé en 1948, pour lequel des travaux avaient été menés en grand secret, comme nous l'ont fait connaître les articles du P. Caprile. Pie XII a renoncé à son idée mais il lui a donné une issue, en 1950, dans l'encyclique *Humani generis* et la promulgation du dogme de l'Assomption corporelle de la Vierge Marie, Mère de Dieu. Le projet de 1948 était d'une ligne assez différente de celui de Jean XXIII. Le discours de ce dernier pour l'ouverture du concile, 11 octobre 1962, prend, sous cet éclairage, tout son sens. Jean XXIII attachait une telle importance au passage que nous allons citer qu'il l'a rappelé plusieurs fois à la Commission de coordination et l'a cité expressément comme la norme du travail à poursuivre entre la première période du concile (1962) et la seconde, à laquelle il ne devait pas présider. Voici ce passage. Il éclaire non seulement le sens du concile, mais ce qui nous reste encore et toujours à faire :

> Notre devoir n'est pas seulement de garder ce précieux trésor comme si nous n'avions souci que du passé, mais de nous consacrer, résolument et sans crainte, à l'œuvre que réclame notre époque, poursuivant ainsi le chemin que l'Église parcourt depuis vingt siècles.
>
> L'objet essentiel de ce Concile n'est donc pas une discussion sur tel ou tel article de la doctrine fondamentale de l'Église, discussion qui reprendrait largement l'enseignement des Pères et des théologiens anciens et modernes, lequel est toujours supposé assez présent et familier aux esprits.
>
> Pour cela on n'avait pas besoin d'un Concile. (...) L'esprit chrétien, catholique et apostolique, attend dans le monde entier un bond en avant vers une pénétration doctrinale et une formation des consciences qui corresponde plus parfaitement et plus fidèlement à la doctrine authentique, laquelle doit cependant être étudiée et exposée suivant les méthodes de recherche et la

présentation dont use la pensée moderne. Autre est la substance de la doctrine antique contenue dans le *dépôt de la foi*, autre la formulation dont on la revêt, en se réglant, pour les formes et les proportions, sur les besoins d'un magistère à caractère surtout pastoral (...).

Aujourd'hui, cependant, l'Épouse du Christ préfère user du remède de la miséricorde plutôt que de la sévérité ; elle pense subvenir aux besoins de l'heure présente en montrant la valeur de son enseignement plutôt qu'en renouvelant des condamnations.

CHAPITRE IV

REGARD SUR LE CONCILE VATICAN II *

Après trois mois de pontificat, Jean XXIII jetait un regard sur les deux aires de sa charge pastorale : Rome, si différente alors de celle qu'il avait connue dans sa jeunesse ; le monde, travaillé par des forces de mal en même temps que par les énergies de la grâce du Christ. La conclusion était la décision d'une double célébration : un Synode diocésain pour la ville, un Concile œcuménique pour l'Église universelle [1]. En ce 25 janvier 1959, cette annonce tenait en six mots, pas un de plus. Pas d'explication. C'était bref ! Mais ces quelques mots ont de suite trouvé un grand écho parce qu'il existait déjà un contexte : attente de ce que serait le nouveau Pape, qui avait déjà posé quelques gestes significatifs et avait commencé de dessiner son image ; mouvements de vie apostolique et théologique dans l'Église ; enfin et surtout, une conscience œcuménique vive.

Le même mot s'applique en effet, d'un côté au Concile, de l'autre au Conseil des Églises et au vaste mouvement que nous connaissons. Le Pape avait fait son annonce le 25 janvier, dernier jour de la Semaine d'universelle prière pour l'unité. Le même

---

* A l'occasion du 20e anniversaire de son annonce. Conférence donnée à l'Université de Fribourg le 23 janvier 1979 sous le titre : « Vatican II : apports du Concile et perspectives d'avenir. »

1. Publication officielle : *Acta et Documenta Concilio œcumenico Vaticano II apparendo,* Series I (Antepraeparatoria). Vol. I. Vatican 1960, 5 (et *Doc. cath.* LVI, n° 1 300 : 29 mars 1959, 388).

jour, un commentaire officiel disait : « Le Concile n'a pas seulement pour but, dans la pensée du Saint-Père, le bien spirituel du peuple chrétien, mais veut être également une invitation aux communautés séparées pour la recherche de l'unité à laquelle tant d'âmes aspirent aujourd'hui sur toute l'étendue de la terre »[2]. Dès lors, on s'est demandé ce que signifiait « invitation ». Le Concile serait-il un concile d'union, ou du moins un premier pas en ce sens ? Cette interrogation, très largement partagée, a reçu assez vite une réponse. Jean XXIII a multiplié les déclarations aux termes desquelles le Concile, par le spectacle même qu'il offrirait, inviterait, c'est-à-dire attirerait les frères séparés à rejoindre l'unité[3]. Le terme « retour » apparaissait plusieurs fois.

Parlant aux dirigeants diocésains de l'Action catholique italienne, le 9 août 1959, le Pape précisait :

> L'idée du Concile n'est pas le fruit de longues considérations, mais une sorte de fleur spontanée d'un printemps inattendu (...) Avec la grâce de Dieu, Nous réunirons donc le Concile ; et Nous entendons le préparer en ayant en vue ce qu'il est le plus nécessaire de renforcer et de revigorer dans l'union de la famille catholique, conformément au dessein de Notre Seigneur. Puis, lorsque Nous aurons accompli cette formidable tâche, en éliminant ce qui, sur le plan humain, pouvait faire obstacle à une progression plus rapide, Nous présenterons l'Église dans toute sa splendeur *sine macula et sine ruga* et Nous dirons à tous les autres qui sont séparés de nous, orthodoxes, protestants, etc. : « Voyez, frères, c'est là l'Église du Christ. Nous nous sommes efforcés de lui être fidèles (...) Venez, venez ; voici que le chemin est ouvert pour la rencontre, pour le retour ; venez prendre ou reprendre votre place... »[4]

Le cardinal Tisserant s'exprimait dans le même sens quelques jours plus tard, le 15 août : « Le Concile est une affaire interne de l'Église catholique, mais il voudrait quand même travailler

2. *Osservatore Romano* des 26-27 janvier 1959 : cf. *Doc. cath.* LVI, n° 1297 (15 février 1959) 197-198.

3. Ainsi le 1er avril 1959 (*op. cit.* n. 1, p. 15 et *Doc. cath.* 1959, p. 515) ; encyclique *Ad Petri cathedram*, 29 juin 1959, 36 et 38, et *Doc. cath.* 1959, 910 et 911 ; Prière au Saint-Esprit, 48 ; discours aux curés de Bologne, 17 février 1960, 76 ; motu proprio instituant les Commissions préparatoires, 5 juin 1960, 93.

4. *Op. cit.* (n. 1) 46. Comp. le 14 février 1960, 74. Trad. *Doc. cath.* LVI (n° 1 311, 6 septembre 1959, 1098 et 1099).

utilement dans le sens de l'unité, de façon à ce que, après le Concile, on puisse aborder ces problèmes d'unité d'une manière nouvelle et plus favorable »[5]. Enfin le cardinal Tardini, président de la Commission anté-préparatoire, précisait que, si le Concile est un fait intérieur à l'Église catholique, les membres des autres confessions religieuses qui désireraient y être présents y seraient bien accueillis comme observateurs[6]. La période antépréparatoire est finie. Arrêtons là. On sait la suite. Nous pouvons regarder le Concile tel qu'il s'est déroulé. Nous voudrions, à son sujet, traiter ces quatre points : 1. le fait « concile » ; 2. « œcuménique », en quel sens et de quelle façon ; 3. concile « pastoral » ; 4. l'après-concile.

1. Le fait qu'il y a eu concile

Joseph de Maistre avait écrit, en 1819 : « Pourquoi un concile œcuménique quand le pilori suffit ? »[7]. Pourtant il y avait eu le

5. Cité dans mes *Aspects de l'Œcuménisme*. Bruxelles, 1962, 71.

6. Interview à la Télévision française, 24 janvier 1960 : *op. cit.* (n. 1), 160 ; *Doc. cath.* LVII (n° 1325 : 3 avril 1960) 394.

7. *Du Pape*, liv. II ch. 15 (éd. de 1869, 276, n. 1).

Conciles désormais inutiles, disaient non seulement des historiens protestants (P. Hinschius, *Kirchenrecht*, t. III, 1883, 630 ; C. Mirbt, in *Realenzyklopädie*, XX, 470 : 3e éd., 1908), mais des catholiques : avant même la décision formelle de convoquer Vatican I, certains disaient : « N'avons-nous pas le pape ? Est-ce que le pape n'a pas le pouvoir de décider toutes les questions ? » (R. Aubert, *Le Pontificat de Pie IX*. Paris, 1952, 312, citant F. Lagrange, *Vie de Mgr Dupanloup*, t. III, 55). Au lendemain de Vatican I, Bismarck disait que le dogme qu'il avait promulgué enlevait toute raison aux conciles (cf. *Église et Unité*. Lille, 1948, 24-25). Dans la Préface de *Le Concile de Trente (Histoire des Conciles* d'Hefele-Leclercq, t. IX/1., Paris, 1930, 7-9), P. Richard écrivait : « La nécessité d'un concile général ne s'impose donc plus aujourd'hui autant que par le passé... Elle s'impose d'autant moins que personne ne parle plus de convocation, sinon comme d'un article de publicité... Le concile œcuménique du Vatican a donc réduit presque à rien l'importance des convocations similaires. Quoi qu'il arrive désormais, qu'il se réunisse de nouveau ou bien que le Saint-Siège se charge lui-même de couronner son œuvre incomplète, il clôt, semble-t-il, la série des dix-neuf conciles œcuméniques... Son œuvre est achevée et les futurs conciles, s'il y en a, n'apporteront au monument que quelques retouches ou adaptations accessoires dont la portée ne compenserait pas les embarras que la convocation entraîne avec elle. » Comp. J. Nauvecelle, *Église capitale Vatican*. NRF 1954, 36, 205-206. Dans le n° de décembre 1961 d'*Esprit* (« Vœux pour le Concile »), J. Meyendorff : « Beaucoup pensaient, à l'intérieur comme à l'extérieur de l'Église Romaine, que les décisions de 1870 étaient inconciliables

Concile du Vatican, 1869-70. Après celui-ci, qui avait proclamé l'infaillibilité du magistère papal dans des conditions précises, on avait pu se demander si un concile serait encore utile. C'était à coup sûr faire preuve d'une ecclésiologie simpliste et de peu d'intelligence de ce que représente un concile. De fait, les réponses négatives ou dubitatives partaient d'une conception mécanique de la vie de l'Église, et même de la vie de foi. Aussi bien Pie XI avait pensé un moment — il y a fait allusion dans l'encyclique *Ubi arcano* du 23 décembre 1922 — réouvrir le Concile du Vatican déclaré suspendu le 20 octobre 1870[8]. Pie XII avait repris un projet analogue, mais qui fut poursuivi secrètement de 1948 à 1951, sous la direction et dans le climat du « Saint-Office »[9]. Des préparations alors assez poussées ont fait surface, soit dans l'encyclique *Humani generis* du 12 août 1950, soit dans divers projets de la Commission théologique préparatoire de Vatican II, dans laquelle j'ai été « consulteur ». Il semble que Pie XII pensait à une reprise et un achèvement de Vatican I. Par contre, Jean XXIII a précisé que son concile serait Vatican II[10].

Je ne vais pas proposer ici toute une théologie de la conciliarité et de la réalité « concile », théologie dont il existe bien des ébauches ou des éléments, mais dont la synthèse est encore à

---

avec l'institution conciliaire... », 793 ; St. Neill : « J'ai eu pour ma part, il y a quelques années, l'occasion de faire sur le Concile de Trente et le Concile du Vatican une étude très détaillée qui m'a amené à conclure qu'un nouveau concile ne serait jamais convoqué... », 806. Daniel-Rops, *Vatican II*. Le *concile de Jean XXIII*. Paris, 1961 : « Beaucoup, même parmi les catholiques, pensaient que de telles assemblées d'Église étaient devenues inutiles, du fait de la proclamation de l'infaillibilité pontificale. » G. Huber, *Vers le Concile. Dialogues sous la colonnade de Saint-Pierre*. Paris, 1961, 22 : « Il me semblait que la proclamation de l'infaillibilité du Pape par le Concile du Vatican rendait désormais superflue la tenue des conciles œcuméniques. Pourquoi recourir à une procédure lente et compliquée, quand on peut user d'un moyen simple et rapide ? »

8. Cf. G. Caprile, *Pio XI e la ripresa del Concilio Vaticano*, in *La Civiltà Cattolica* du 2 juillet 1966, 27-39 ; trad. fr. in *Doc. cath.* LXIII (nº 1484, 18 décembre 1966), col. 2175-2188.

9. Cf. G. Caprile, *Pio XII e un nuovo progetto di Concilio ecumenico*, in *La Civiltà Cattolica* du 6-20 août 1966, 209-227 : trad. fr. in *Doc. cath.* LXIV (nº 1485, 1er janvier 1967), col. 49-68. Ce que révèle l'article documenté du P. Caprile montre que cela aurait été dominé par la Curie.

10. Allocution du 7 décembre 1959 : *op. cit.* (n. 1), 60. Déjà le cardinal Tardini, 15 juillet 1959. Il avait été un moment question de tenir le Concile à Saint-Paul-hors-les-Murs et de l'appeler *Ostiense I* : P. Felici, in *L'Avvenire d'Italia*, 28 janvier 1960, 4.

faire. Je noterai seulement, sans pousser jusqu'à une explication plus technique, un point de très grande importance. Non seulement il y a eu concile, mais il y a eu *vraiment* concile. Non seulement les Pères se sont exprimés en pleine liberté — cela avait été le cas à Trente et, avec quelques restrictions, à Vatican I —, mais les décrets ou enseignements ont été vraiment des documents et décrets *du Concile*. Alors que Vatican I avait repris la formule des conciles médiévaux et que ses décrets avaient été ceux de « Pius, sacro approbante Concilio », ceux de Vatican II ont été promulgués selon une formule extrêmement intéressante, à la fois conciliaire, collégiale et pontificale [11].

Un concile est un événement. Pas seulement au sens où le général de Gaule disait que Vatican II serait le plus grand événement du siècle, et où le secrétaire général des Nations Unies, Charles Malik, écrivait que ce serait le plus grand événément peut-être de plusieurs siècles. C'est un événement au sens plutôt philosophique du mot : c'est quelque chose d'autre que la récurrence régulière des phénomènes de la nature ou que les manifestations attendues d'une institution. C'est un fait qui, arrivé une fois, change quelque chose dans le présent et dans le futur. La force du fait conciliaire tient à ce qu'il représente un moment de concentration de la conscience de l'Église en acte de vivre sa fidélité au Seigneur Jésus et à son Saint-Esprit, dans la confession et la célébration de sa foi. « Concilium episcoporum est », un concile est une réunion d'évêques [12]. Cela ne veut pas dire : une assemblée plus prestigieuse, à cause des mitres et du violet. Cela veut dire : la venue ensemble, pour poser ensemble un même acte, des centres de communion et de direction des Églises locales. L'acte collégial est précisément un même et unique acte posé par plusieurs. Au concile, le collège est là, rassemblé. J'avais lu jadis, dans les manuels classiques, la distinction entre l'épiscopat dispersé et l'épiscopat assemblé.

11. Cf. G. Alberigo, *Una cum patribus. La formula conclusiva delle decisioni del Vaticano II,* in *Ecclesia a Spiritu Sancto edocta*. Mélanges Gérard Philips. Gembloux, 1970, 291-319.

12. Je prends naïvement cette formule, prise matériellement des Actes de Chalcédoine, pour sa frappe et sa clarté. Sur son sens historique, cf. P.-R. Cren, *Concilium episcoporum est. Note sur l'histoire d'une citation des Actes du Concile de Chalcédoine,* in *Rev. Sciences philos. théol.* 46 (1962) 45-62.

C'est une thèse banale. Je ne me doutais pas qu'elle recouvrait une réalité aussi importante. Elle relève à la fois, à deux niveaux différents, de la sociologie et de la théologie. De la sociologie : dans une assemblée, il s'opère une communication des idées, des convictions ; chacun est élevé par les autres au-delà de ce qu'il est tout seul [13]. De la théologie : un concile n'est pas une conférence. Certes il est fait d'hommes, il connaît des tensions, des manœuvres. Il est fait de pasteurs ; il est une réalité d'Église, une célébration, un moment de la conduite de Dieu sur son peuple ; l'Esprit Saint y opère et fait, de cette communication sociologique, une communion, une unanimité relevant de la Cité de Dieu.

Cette concentration et cette expression de la conscience catholique se produisent au concile selon deux dimensions que nous pourrons qualifier d'horizontale et de verticale, à condition de n'être pas dupes d'images aussi matérielles.

Horizontale : une sorte de décentrement de l'Urbs sur l'Orbis, du fait que l'Orbis prenait comme possession de l'Urbs. L'Église allait avoir la parole. Sous Pie XII surtout, la parole était monopolisée par le pontife et les instances romaines, congrégations et Facultés. De grands courants très vivants y étaient plus surveillés que librement promus : ainsi le mouvement liturgique, le ressourcement patristique, la recherche biblique, l'œcuménisme, la prospective pastorale... Avec le Concile, toutes ces voix se feront entendre. Le P. Wiltgen a titré un livre, au reste informé, *Le Rhin se jette dans le Tibre* (trad. française 1976). Pour beaucoup, ce seraient les méchants théologiens allemands, hollandais et français qui auraient introduit leurs idées discutables en place des bons textes rédigés par les commissions préparatoires dans l'esprit du pontificat précédent et de la Curie. Déjà, quand on parlait de convoquer Vatican I, le cardinal Pitra gémissait : « Quoi ! Convoquer un concile ! Mais les théologiens

13. « Ce que maint évêque tenait timidement par devers soi dans son diocèse ou ne prononçait qu'avec hésitation et prudence était, à Rome, chuchoté au début de façon hésitante et comme en sourdine. C'est alors que l'on a découvert que tous les collègues pensaient de la même façon et qu'ainsi naissait une unanimité morale qui existait déjà auparavant mais de façon latente. Le contact des évêques entre eux... a déclenché quelque chose qui, manifestement, appelait depuis longtemps déjà une expression officielle » ; E. SCHILLEBEECKX, *L'Église du Christ et l'homme d'aujourd'hui selon Vatican II*. Le Puy-Lyon-Paris, 1965, 37 (texte du 5 janvier 1963).

français et allemands viendraient bouleverser nos congrégations ! »[14]. On n'a pas bouleversé, mais toute une vie d'Église s'est exprimée au plus haut niveau. Sans monopole. J'ai plusieurs fois écrit que la minorité a contribué à l'équilibre des documents conciliaires[15].

Dimension verticale : nous entendons par là la présence du passé, des trésors de la Tradition dans cette totalisation et cette expression conciliaires de la conscience catholique. On a beaucoup insisté sur la nouveauté de Vatican II. Celle-ci est indéniable, mais il nous paraît nécessaire de souligner la réalité voulue de continuité. C'était une tradition des conciles anciens de lire d'abord les décisions des conciles antérieurs. Ils en assumaient le donné. Leur œcuménicité avait ainsi une dimension verticale et qualitative[16]. A Vatican II, on compte 93 citations des conciles antérieurs, dont 21 du Concile de Trente et 24 de Vatican I, et pas moins de 201 citations ou références à 92 actes de Pie XII[17]. Dans une séance commémorative de l'ouverture de Vatican I, Paul VI a insisté sur la continuité entre Vatican I et Vatican II[18]. De fait, si Vatican II a équilibré le chapitre purement papal de Vatican I par une doctrine de l'épiscopat et de sa collégialité, comme le même Paul VI a par deux fois déclaré qu'il devait le faire (29.IX. et 21.XII.1963), on a montré que cette doctrine se trouvait nettement esquissée dans les projets de Vatican I[19].

14. Cité par AUBERT, *op. et loc. cit.* supra, n. 7.

15. T. RAYMONDOS et R. PRÉVOST ont fait un bilan de cette action : *Vatican II, ligne d'arrêt et de départ,* in *Dieu n'échoue pas*, n° 6 (1969).

16. Voir P. TH. CAMELOT, in *Le Concile et les conciles*. Paris et Chevetogne, 1960, 65 ; les Pères du VIIe concile œcuménique (Mansi XIII, 776 C) ; notre contribution dans : *1274 année charnière. Mutations et continuités*. Paris, CNRS 1977, p. 439 et la n. 7 ; H.J. MARX, *Filioque und Verbot eines anderen Glaubens auf dem Florentinum*. Steyl, 1977, 300 s.

17. Voir les *Indices* des diverses éditions des 16 documents de Vatican II. Pour Pie XII, E. INNOCENTI, *Le citazioni pontificie nei documenti conciliari,* in *Concretezza*, 16 juillet 1966, 6-10 (cité par Caprile). Les notes qui accompagnent la Constitution *Sacrosanctum Concilium* sur la liturgie, dans le n° 76 de *La Maison-Dieu*, manifestent bien la continuité de ce beau document avec l'œuvre de Pie XII et de Pie X.

18. Discours du 8 décembre 1969 : *Doc. cath.* LXVII (n° 1554 : 10 janvier 1970), 10 s.

19. Cf. J.-P. TORRELL, *La théologie de l'épiscopat au Premier concile du Vatican (Unam Sanctam* 37). Paris, 1961 ; G. DEJAIFVE, *Pape et évêques au Premier concile du Vatican.* Bruges et Paris, 1961.

Le fait qu'il y ait eu concile a été, pour ceux qui se trouvaient ainsi réunis en situation de concile, une expérience qui avait son poids et son dynamisme propres. Le Concile faisait redécouvrir les valeurs qu'il mettait lui-même en œuvre. Cela a été très évident pour des réalités aussi importantes que la liturgie, dont la variété était proposée chaque jour dans la célébration de l'Eucharistie — ; la théologie des Églises locales, car on les rencontrait toutes — ; la collégialité, car le Collège était là, rassemblé — ; le fait qu'on en devient membre par l'ordination épiscopale, qui est sacramentelle, car à Vatican II les deux-cinquièmes des évêques présents étaient des évêques auxiliaires... Enfin l'expérience conciliaire a réouvert dans l'Église le chapitre de la vie conciliaire elle-même. Le 15 septembre 1965, Paul VI promulguait le motu proprio *Apostolica sollicitudo* instituant le Synode des évêques ; dans l'exposé des motifs, il disait avoir été mû pour cela par l'expérience bénie faite dans le Concile du bénéfice retiré de son étroite union avec les évêques. Le décret *Christus Dominus* sur la charge pastorale des évêques (28 octobre 1965) formulait, dans son chapitre III, le programme d'un tel renouveau de vie conciliaire. Depuis, nous avons eu quatre synodes des évêques à Rome, plusieurs synodes diocésains, des synodes nationaux (Hollande, Chili, Autriche, Suisse, Allemagne fédérale...) [20]. Il est même possible que l'annonce, puis le déroulement de Vatican II ait eu quelque impact, soit sur la résolution orthodoxe de préparer « le grand et saint Concile » que nous attendons, soit sur le développement de l'idée de « communauté conciliaire » dans le Conseil œcuménique des Églises. Un événement tel que Vatican II agit longuement en déployant son dynamisme. Si le mot ne prêtait pas à ambiguïté, et en le prenant en son sens favorable, je dirais qu'il agit par ébranlement. On n'en a pas épuisé les effets.

---

20. On a aussi remis en valeur l'aspect conciliaire dans la structure et la vie de l'Église : W. Aymans, *Das synodale Element in der Kirchenverfassung*. München, 1970 ; J. Neumann, *Synodales Prinzip. Der größere Spielraum im Kirchenrecht*. Herder, 1973.

2. « ŒCUMÉNIQUE » : EN QUEL SENS ET DE QUELLE FAÇON ?

Œcuménique, Vatican II l'a d'abord été au sens d'une représentation, ou plutôt d'une présence universelle de l'Église et de ses pensées, par l'ampleur de sa réalisation. Cela dès la consultation antépréparatoire des pasteurs. Pour Vatican I il y avait eu 244 réponses à cette consultation ; pour Vatican II, plus de 2000[21]. Vatican I avait réuni 744 Pères, avec une assez écrasante prédominance de l'Europe (et, en elle, de l'Italie : 200 évêques), sans un seul évêque Noir. Vatican II a réuni plus de 2 900 Pères (j'ai compté les noms de l'*Elencho* de 1965...), dont plus d'une centaine d'évêques noirs. « Pour la première fois dans l'histoire, tous les peuples de la terre et toutes les traditions de l'Église ont pu se faire entendre au Concile Vatican II »[22]. Paul VI a plusieurs fois relevé ce fait : aucun concile n'a eu d'aussi amples proportions[23]. C'est en ce sens qu'il a même une fois dit qu'à certains égards Vatican II était plus important que Nicée[24] : parole pas très heureuse, dont les critiques de Paul VI et de Vatican II ont outrageusement abusé. Elle demande à être prise au sens que le Pape lui donnait et qui est celui que nous venons de dire.

Nous avons déjà dit un mot de l'œcuménicité verticale et qualitative. Il faut y revenir. Pour noter, d'abord, que Jean XXIII avait retrouvé le sens ancien, patristique, d'une réforme, qui mettait à la base la réforme de l'homme chrétien, un renouveau de la vie chrétienne, une reconfiguration à l'image de

21. Chiffres donnés par le cardinal Tardini dans son interview de la TV française, 24 janvier 1960 ; *op. cit. supra* (n. 1), 160-161.

22. G. MARC, in *Le Supplément* n° 124, février 1978, 85.

23. Discours lors de la session publique du 18 novembre 1965 : *Doc. cath.* LXII (n° 1460 : 5 décembre 1965) 2046.

24. PAUL VI, lettre du 29 juin 1975 à Mgr Lefebvre. Si cela peut apaiser quelque esprit troublé, rappelons qu'au moment du centenaire du Concile de Trente, les pères de la Grégorienne écrivaient : « di tutti i Concili forse il più importante » (Gregorianum 26 [1945]). Le Père P.R. RÉGAMEY écrit de Vatican II : « Jamais aucun concile œcuménique n'a éclairé d'une façon aussi ample et plus sûre les régions de la foi d'où l'esprit doit recevoir aujourd'hui ses orientations et les domaines terrestres où cet esprit doit rayonner » (*Ce que croyait Dominique*, Mame, 1978, 98).

Dieu[25]. Vatican II a été voulu comme concile de réforme. Or une réforme est « un appel d'une tradition moins profonde à une tradition plus profonde, un reculement de tradition, un dépassement en profondeur ; une recherche à des sources plus profondes »[26]. Un des traits les plus décisifs de Vatican II est d'avoir, par-dessus un certain Moyen Age, la Contre-Réforme et la restauration antimoderne du XIXe siècle, renoué avec des inspirations de l'Église indivise. On a souvent parlé à ce sujet et en ce sens de « la fin d'un millénaire », tandis que le Père R. Rouquette datait du 20 novembre 1962 — vote refusant le schéma dit des deux sources sur Écriture et Tradition — la fin de la Contre-Réforme[27]. C'est à ce trait que Vatican II doit sa plus grande valeur d'œcuménisme. Certes, il y a eu les observateurs, il y a eu le très beau décret *Unitatis redintegratio*, mais les documents à l'usage interne de l'Église catholique auraient pu contredire ces ouvertures. Or une étude assidue de l'histoire de nos ruptures m'a de plus en plus confirmé dans la conviction que l'Orient d'abord, la Réforme ensuite, ont refusé les développements caractéristiques du Moyen Age occidental : scolastique, dévotions, triomphalisme clérical, papauté de puissance et de politique... Dès lors un ressourcement en direction de l'Église indivise aurait, en plus de sa dimension œcuménique verticale, une grande valeur d'œcuménisme.

Les références de Vatican II aux Pères ne sont pas seulement ornementales[28]. Mais il faut penser à l'influence des Orientaux, à la rentrée dans le catholicisme d'idées et de réalités chères à l'Orient : Églises locales, eucharistiques ; épiclèses ; fondement sacramentel des structures qu'organise le droit ; pneumatologie

---

25. G.B. Ladner, *The Idea of Reform. Its Impact on Christian Thought and Action*. Cambridge (Mass.) 1956. Cet aspect du projet de Jean XXIII n'a pas été assez souligné.

26. Texte de Péguy, 1er mars 1904, que nous avons cité en l'appliquant à notre sujet, dans *Vraie et fausse réforme dans l'Église*, éd. de 1950, 602 ; de 1969, 543.

27. Ainsi J. Corbon, G. Alberigo, W. Kasper, Y. Congar, R. Rouquette, *Bilan du Concile*, in *Études*, janvier 1963, 104. Comp. Ed. Schillebeeckx, *L'Église du Christ et l'homme d'aujourd'hui selon Vatican II*. Le Puy-Lyon, 1965, 115.

28. On souhaite une étude sur ce sujet. Quelques indications dans *Seminarium*, N.S. IX/2 (avril-juin 1969), 145-150, 186 s., 287-290.

et référence trinitaire ; vision plus personnaliste ; dimension cosmique, etc.[29]. Finalement — et cela fait partie de son caractère « œcuménique » — Vatican II a été *intégrant* : pas d'Écriture sans Tradition, pas de Tradition sans Écriture ; pas de sacrement sans Parole ; pas de christologie sans pneumatologie ; pas de hiérarchie sans peuple, pas de peuple sans hiérarchie ; pas d'épiscopat sans Pape, pas de Pape sans épiscopat ; pas d'Église locale qui ne soit missionnaire, pas de mission qui ne soit ecclésiale ; pas d'Église qui n'ait le souci de toute l'Église et d'offrir en son sein l'universalité, etc.

Dans l'audience du 19 janvier 1966, Paul VI disait : « Nous pouvons bien dire que le Concile a été pénétré de cet esprit œcuménique qui tendait à dilater le cœur de l'Église catholique hors des cadres de son effective communion hiérarchique pour lui donner la dimension universelle du dessein de Dieu et de la charité du Christ. L'œcuménicité potentielle a rempli et ébranlé l'œcuménicité concrète de l'Église réunie en Concile »[30]. Le Saint-Père posait ainsi le problème de la rencontre de deux, et même trois œcuménicités : celle du Concile, traduisant celle, actuelle, de l'Église catholique ; celle du Mouvement œcuménique, concrétisée dans le Conseil œcuménique des Églises ; celle enfin que vise formellement ce conseil et qu'il entend sous l'adjectif qui le qualifie, de toute la terre habitée[31]. Vatican II, concile œcuménique au sens technique de ce terme, s'est ouvert aux deux autres œcuménicités par sa notion dynamique de l'Église, et cela dès les premières lignes de *Lumen Gentium*, par son chapitre sur le Peuple de Dieu, par son idée de sacrement du salut, enfin par le « subsistit in » de *Lumen Gentium* n° 8, qui

29. Voir MAXIMOS IV, *L'Église Grecque Melchite au Concile. Discours et notes.* Beyrouth, 1967 ; J. CORBON, *Les catholiques à la redécouverte de leur âme orientale*, in *Proche-Orient Chrétien* 15 (1965) 145-158 ; *Bilan oriental du Concile*, *ibid.* 16 (1966) 19-28 ; Emilios INGLESSIS, *Maximos IV. L'Orient conteste l'Occident*, Paris, 1969.

30. *Doc. cath.* LXIII (n° 1466, 6 mars 1966) 421.

31. Cf. W.A. VISSER'T HOOFT, *The Meaning of Ecumenical.* London, 1953 ; voir aussi E. FASCHER, *Ökumenisch und katholisch. Zur Geschichte zweier heute viel gebrauchten Begriffe,* in *Theolog. Literaturzeitg.* 85 (1960) 7-20 ; H. VAN DER LINDE, *Wat is œcumenisch?* Roermond-Maaseik, 1961, enfin, évidemment, H. STIRNIMANN, « *Catholic* » *and* « *Ecumenical* », in *Ecumen. Rev.*, July 1966, 293-309.

affirme l'authenticité de l'Église catholique romaine comme Église du Christ et des Apôtres sans dévaluer la qualité ecclésiale, évidemment différenciée, des autres Communions chrétiennes. Longtemps l'Église catholique a pratiqué, et même théoriquement professé, une logique selon laquelle l'unité *consistait* dans la soumission à l'autorité du pape. Cela était évidemment refusé par les autres. L'Église catholique, sans perdre son centre romain ni sa tête papale, est entrée comme partenaire exigeant mais ouvert dans la *recherche* de l'unité. Et il se trouve que, depuis lors, beaucoup parlent, comme d'une chose souhaitable, d'un ministère universel d'unité qu'ils attribuent, sans autre discussion, à l'évêque de Rome. Qui eût osé espérer, avant le 25 janvier 1959, un tel engagement de l'Église catholique, une telle avancée de l'œcuménisme ? Dans sa conférence d'Upsal, en 1968 le Père R. Tucci notait bien que la vision ouverte et dynamique de l'Église qu'a exprimée Vatican II répond au besoin de concevoir l'unité de façon prospective, et pas seulement rétrospective : elle se prête ainsi à éclairer l'Église catholique en sa participation au Mouvement œcuménique, lui-même ouvert aux dimensions du monde [32].

Le troisième cercle, mondial, de son œcuménicité, le Concile en a eu la hantise depuis son premier « Message au Monde » du 20 octobre 1962, jusqu'à sa Constitution pastorale *Gaudium et spes* du 7 décembre 1965 et les sept messages de sa clôture, le 8 décembre, sur la place publique et sous la voûte du ciel. Tout cela fait partie de son œcuménicité.

3. Un Concile « pastoral »

Dès son annonce, le Concile Vatican II a été présenté comme devant être « pastoral ». Cela, parfois, dans des termes médiocrement heureux [33]. Jean XXIII disait : Un concile n'est

32. Cf. A. Wenger, *Upsal, le défi du siècle aux Églises*. Paris, 1968, 305 s. ; texte de Tucci dans *Doc. cath.* LXV (nº 1523 : 1er septembre 1968) 1471-1489 (cf. 1482 s.).

33. Ainsi quand le cardinal Tardini, dans son interview du 24 janvier 1960, dit : « Dès à présent on peut dire que le but principal du Concile sera plus particulièrement la discipline ecclésiastique, les dispositions du Code de Droit

pas un « cœtus speculativus », mais une assemblée de pasteurs [34]. Il s'est lui-même exprimé d'une manière qui eût dû éviter la fausse opposition entre « doctrinal » et « pastoral ». Dans son discours d'ouverture, le 11 octobre 1962, il disait que le Concile « veut transmettre dans sa pureté et son intégrité la doctrine, exempte d'affaiblissement et d'altérations, qui, durant vingt siècles... est devenue un patrimoine commun », puis il ajoutait :

> Puisque cette doctrine embrasse les multiples domaines de l'activité humaine individuelle, familiale et sociale, il est nécessaire avant tout que l'Église ne détourne jamais son regard de l'héritage sacré de vérité qu'elle a reçu des anciens. Mais il faut aussi qu'elle se tourne vers les temps présents qui entraînent de nouvelles situations, de nouvelles formes de vie, et ouvrent de nouvelles voies à l'apostolat catholique (...)
>
> Notre devoir n'est pas seulement de garder ce précieux trésor comme si nous n'avions souci que du passé, mais de nous consacrer, résolument et sans crainte, à l'œuvre que réclame notre époque, poursuivant ainsi le chemin que l'Église parcourt depuis vingt siècles.
>
> L'objet essentiel de ce Concile n'est donc pas une discussion sur tel ou tel article de la doctrine fondamentale de l'Église (...) L'esprit chrétien et catholique attend dans le monde entier un bond en avant vers une pénétration doctrinale et une formation des consciences qui corresponde plus parfaitement et plus fidèlement à la doctrine authentique, laquelle doit cependant être étudiée et exposée suivant les méthodes de recherche et la présentation dont use la pensée moderne. Autre est la substance de la doctrine antique contenue dans le *dépôt de la foi*, autre la formulation dont on la revêt, en se réglant, pour les formes et les proportions, sur les besoins d'un magistère à caractère surtout pastoral [35].

Canon qu'on pourra modifier, et puis tout l'ensemble des mœurs de la vie catholique. Ce sera, comme on peut le croire aujourd'hui, un concile, je dirais d'ordre réel, pratique, plutôt qu'un concile vraiment d'ordre doctrinal. Mais ceci n'est pas exclu... » : *op. cit.*, n. 1, 159.

34. Allocution à des membres de la Commission centrale préparatoire, 20 juin 1961 : AAS 1961, 501.

35. *Doc. cath.* LIX (nº 1387 : 4 novembre 1962) 1381-1383. Dans la communication du 5 décembre 1962 au Secrétaire d'État, donnant des directives pour la poursuite du travail, le Pape reproduisait le texte que nous avons cité, et demandait de « nous consacrer avec une alerte volonté, sans crainte, à une œuvre qui consiste à tirer les conséquences de l'antique doctrine et à l'appliquer aux conditions de notre époque ; c'est-à-dire poursuivre la marche en avant de l'Église dans la succession du temps ». *Doc. cath.* LX, nº 1381 (6 janvier 1963) 21.

Il n'y avait là aucune disjonction, aucune opposition. Les difficultés ont été soulevées au Concile à propos du schéma malencontreusement intitulé *De duobus fontibus Revelationis*, qui a été discuté du 14 au 20 novembre 1962. Le texte fut très vivement critiqué, et finalement envoyé à la refonte, parce qu'il n'était pas assez pastoral, pas œcuménique. Ses défenseurs répondaient, exprimant ainsi une conviction profonde, que proposer « la Doctrine » était à la fois l'acte le plus pastoral et la base de tout œcuménisme soucieux d'éviter le « faux irénisme », c'est-à-dire une expression minimisante des positions catholiques. De cela même, les critiques du schéma étaient non moins convaincus. La différence tenait à deux façons d'entendre la « Doctrine ». On les a rapportées à deux familles d'esprits [36]. Les uns voulaient définir en procédant de manière analytique, en posant des affirmations fixées en des formules mises comme des objets ou des choses devant l'esprit ; l'idéal serait d'arriver à des énoncés du type « canons » de Trente ou de Vatican I. Aussi se sont-ils retrouvés dans la *Nota explicativa praevia* par laquelle la Commission théologique du Concile a fait précéder l'examen des « modi » du chapitre III de *Lumen Gentium* : ce texte ne proposait pas une autre doctrine que le chapitre lui-même, mais il l'exprimait de façon plus conceptuelle, plus scolastique, plus proche des anciens « canons ». Pour les esprits de ce type, « ne pas penser de façon purement conceptualiste signifie sortir de la vérité » [37]. Les esprits de l'autre famille voulaient une approche de la vérité plus existentielle, plus synthétique, plus ouverte à la recherche et à des apports nouveaux, plus englobante. C'était plus « pastoral » et plus « œcuménique ». Le Concile a suivi cette

36. Cf. R. LAURENTIN, *Bilan de la 1re Session*. Paris, 1963, 27 s. ; G. PHILIPS, *Deux tendances dans la théologie contemporaine*, in *Nouv. Rev. théol.* 85 (1963) 225-238 ; E. SCHILLEBEECKX, *Impressions sur une divergence de mentalité*, et *Malentendus au Concile*, in *L'Église du Christ et l'homme d'aujourd'hui selon Vatican II*. Le Puy-Lyon-Paris, 1965, 37-61 ; notre *Le Concile au jour le jour* I, 67-68 ; IV, 104 et 142-146, et *La théologie au Concile. Le « théologiser » du Concile*, in Fiches *« Vérité et Vie »*. Strasbourg, 1965, repr. in *Situation et tâches de la théologie*. Paris, 1967, 41-56.

37. E. SCHILLEBEECKX, *op. cit.*, 42, qui écrit aussi, 57 (le 19 janvier 1963) : « Souvent j'ai expérimenté à travers les débats conciliaires comment des "progressistes" luttaient seulement contre cette manière d'emprisonner la vérité, tandis que les autres pensaient que l'on voulait mettre en cause le noyau même de la vérité ».

ligne : d'où le nombre de fois où il situe ce qu'il expose dans le grand Dessein de Dieu, dans l'« Economie ». D'où le propos de ne pas « définir » de dogme particulier — bien qu'il ait produit deux « Constitutions dogmatiques » —, de ne pas formuler de « canons » avec *Anathema sit.* Il a pourtant précisé des points de doctrine, par exemple le caractère sacramentel de l'ordination à l'épiscopat, et il a réprouvé des erreurs [38]. Mais, comme le disait Jean XXIII dans son discours d'ouverture, et comme l'a répété Paul VI, « aujourd'hui l'Épouse du Christ préfère user du remède de la miséricorde plutôt que de la sévérité ; elle pense subvenir aux besoins de l'heure présente en montrant la valeur de son enseignement plutôt qu'en renouvelant des condamnations » [39].

Mgr Marcel Lefebvre avait proposé que soient rédigés parallèlement deux types de textes afin d'« exprimer la doctrine de façon dogmatique et scolastique pour la formation des érudits ; présenter la vérité de manière plus pastorale pour l'instruction des autres gens » [40]. Cette suggestion, adressée à la Présidence de l'Assemblée, n'a pas été retenue. J'ignore quelles raisons ont été données et même si l'on en a donné. Cela eût été « durcir encore un dualisme auquel spontanément répugnaient des hommes dont la pastoration était nourrie de la Parole de Dieu à porter au monde » [41]. Ce dualisme fut effectivement refusé et réfuté soit, sur-le-champ, dans l'assemblée, en particulier par Mgr Guerry [42], soit, bientôt après, dans des interviews ou des

38. Le P.B. de Margerie (*La Trinité chrétienne dans l'histoire*. Paris, 1975, 144, n. 137) renvoie à *Gaudium et spes* 47, 2 ; 58 ; *Apostolicam actuositatem* 6, 4 ; 7, la condamnation du racisme, de la guerre totale, etc. S'il existait des erreurs, si le Concile en a réprouvé et surtout exclu en formulant un enseignement positif, il n'a pas, à la différence de Trente et de Vatican I, été *conditionné* par la hantise d'erreurs à condamner. Il n'a pas été réuni, il n'a pas parlé *contre*. Cela aussi relève de son caractère pastoral.

39. *Loc. cit., supra* n. 35. Comp. Paul VI, allocution du 6 septembre 1963 (*Doc. cath.* 1963, col. 1266 : cf. *infra*, n. 44) et discours du 4 février 1970 (*Doc. cath.*, n° 1559, 15 mars 1970, 252 s.).

40. Intervention du 27 novembre 1962, texte dans Mgr Lebebvre, *J'accuse le Concile*. Martigny, 1976, 18-21.

41. M.-D. Chenu, *Un Concile « pastoral »*, in *Parole et mission*, n° 21 (15 avril 1963) 182-202, repr. in *La Parole de Dieu. II. L'Évangile dans le temps*. Paris, 1964, 655-672 (661).

42. Cf. A. Wenger, *Vatican II. Première Session*. Paris, 1963, 111-112.

articles, dans une allocution de Paul VI le 6 septembre 1963 [44] et, évidemment, par des théologiens [45]. Le pastoral n'est pas moins doctrinal, mais il l'est d'une manière qui ne se contente pas de conceptualiser, définir, déduire et anathématiser : il veut exprimer la vérité salutaire d'une manière qui rejoigne les hommes d'aujourd'hui, assume leurs difficultés, réponde à leurs questions. Et cela dans l'expression même de la doctrine. Vatican II a été doctrinal. Le fait qu'il n'ait pas « défini » de nouveaux dogmes ne retire rien à sa valeur doctrinale, selon la qualification que la théologie classique donne, de façon différenciée, aux documents qu'il a promulgués.

Certains sont « dogmatiques », ils expriment la doctrine commune, ils seraient comparables aux grandes encycliques doctrinales (qu'ils citent d'ailleurs souvent), à cela près qu'ils expriment, par la voie (et la voix) du magistère extraordinaire l'enseignement de ce que Vatican I a appelé le « magistère ordinaire *et universel* » [46]. Tel est le statut de *Lumen Gentium*, des parties doctrinales de *Dei verbum*, de la Constitution sur la liturgie et de *Gaudium et spes*, mais aussi de plusieurs « décrets » et de la déclaration *Dignitatis humanae personae*. D'autres textes ou parties de ces mêmes documents sont de nature plus purement « pastorale », c'est-à-dire donnant, selon la prudence surnaturelle des pasteurs réunis en concile, des directives en matière pratique. Tel est le statut épistémologique que K. Rahner a reconnu à *Gaudium et spes*, en deçà de ses parties de doctrine classique et de vérité en quelque sorte intemporelle [47].

---

43. Mgr Guerry, archevêque de Cambrai, in *La Croix* des 1er et 2-3 décembre 1962 (larges extraits in *Doc. cath.* LIX, n° 1390 : 16 décembre 1962, 1582-1583, ou A. Wenger, *op. cit.*, 112) ; cardinal Liénart, in *La Croix*, 8 décembre 1962, cité par A. Wenger, *op. cit.*, 75-76.

44. *Doc. cath.* LX (n° 1409 : 6 octobre 1963), 1266-1267.

45. M.-D. Chenu (cité n. 41), Congar (n. 36), Schillebeeckx (n. 36), Wenger (*op. cit.*, 111), J. Ratzinger (Lex. f. Theol. u. Kirche, Erg. Bd. I, Freiburg 1966, 348-359, surtout 350).

46. Constitution dogmatique *Dei Filius*, c. 3 : Denz.-Sch. n° 3011.

47. K. Rahner, *Réflexions sur la problématique théologique d'une constitution pastorale*, in *Gaudium et spes. L'Église dans le monde de ce temps. Schéma XIII.* Commentaires. Mame 1967, 13-42. On peut comparer la Conférence des évêques allemands, 22 septembre 1967 (Doc. cath. n° 1511, 1698, 323) et la Note de la Commission épiscopale espagnole pour la doctrine de la foi, 15 février 1978, n° 31

Il y a, dans ces parties de caractère « pastoral » de l'enseignement conciliaire, basé plus ou moins directement sur la Révélation, un contenu qui dépasse le développement du dépôt de la foi comme tel, qui ne procède pas d'une pure déduction des articles de ce dépôt. C'est ce que le Corps des Pasteurs, réuni dans la prière et la réflexion, se risque à dire sur des situations historiques que la Foi traditionnelle doit éclairer au-delà de ses propos classiquement acquis. Il entre là une part d'information et d'appréciation humaines, une part d'induction, ce qui suppose qu'on ait d'abord accepté les faits comme faits et même qu'on admette que la praxis des chrétiens soit, dans une mesure, source de doctrine [48] : c'est clair dans l'œcuménisme, dans la déclaration sur les religions non chrétiennes, celle sur la liberté religieuse, la deuxième partie de *Gaudium et spes* [49], et bien des parties des décrets sur le ministère, la formation des prêtres, la rénovation de la vie religieuse, l'apostolat des laïcs, l'activité missionnaire... Cela répond au programme tracé par Jean XXIII dans son discours d'ouverture, dont nous avons cité des passages décisifs.

C'est, croyons-nous, très précisément cet aspect d'ouverture, d'induction, de parole circonstanciée et directive que certains esprits refusent. Dès lors ces hommes vont, disant : ce Concile n'a voulu être et n'a été *que* « pastoral ». Il ne s'impose donc pas, il demeure discutable et libre. C'est une attitude inacceptable : ce que nous avons dit le montre. D'autres, venant d'horizons divers, regrettent que le propos pastoral du Concile l'ait amené à ne

---

(Doc. cath. LXXV, n° 1753, 7 décembre 1978, 1026 s.). — La difficulté de tirer la liberté religieuse du dépôt révélé illustre bien ce fait qu'il s'agit de « tout autre chose que de développer de façon doctrinale le dépôt de la foi comme tel » (RAHNER, 89).

48. Le P. CHENU écrivait (*op. cit.*, 670-71) : « Dès lors, la *praxis* apostolique est un lieu propre de la théologie ; la *pastorale* entre dans le savoir théologique, non comme une zone inférieure d'application, mais au titre de principe d'intelligence de la foi... » Le mot *praxis* dit plus, précisément, qu'une application pratique de conclusions déjà formulées théoriquement. Il signifie que les faits et l'exercice sont à leur plan un donné de la pensée à élaborer.

49. Le statut de cette partie en critériologie théologique et conciliaire a fait, dans la Commission mixte responsable et dans l'assemblée, l'objet de difficiles discussions. C'était normal, d'autant plus qu'il n'existait pas de précédent. Citons ici ce passage de la « Praesentatio generalis textus » : « Scopus praecipuus huius schematis non est directe doctrinam praebere, sed potius eius applicationes ad condiciones nostri temporis necnon consectoria pastoralia ostendere et inculcare. »

donner que des textes « mous », à montrer une certaine timidité doctrinale [50]. Ce serait à voir. Ni *Lumen Gentium* ni les premiers chapitres de *Dei verbum* ne sont des textes mous ! Mais Vatican II a souvent employé un langage de large exposé et de description qui n'a plus exactement le style dogmatique de Vatican I et surtout du Concile de Trente. Il est plus abondant, plus pédagogique. Dans le volume des *Conciliorum Œcumenicorum Decreta* publié par l'Istituto per le scienze religiose de Bologne, Vatican II occupe 316 pages, Vatican I 15, Trente 130, les sept premiers conciles œcuméniques ensemble 138 pages ! Avons-nous été prolixes ? Mais on pourrait faire des remarques analogues en prenant dans Denzinger les textes du magistère non conciliaire...

4. L'après-Concile

Ce serait une irraisonnable gageure de prétendre, dans l'espace de temps qui nous reste, traiter vraiment l'énorme et complexe problème de l'après-Concile. Il faudrait envisager le dynamisme du Concile, sa mise en œuvre, ses trahisons, ses fruits, sa responsabilité dans la crise... Il y faudrait une semaine et un livre. Et pourtant, on ne peut pas ne rien dire sur tout cela. Qu'on veuille bien me pardonner d'être très incomplet.

Remarquons d'abord, avec Newman — dont, à mesure que je le connais, j'admire davantage l'équilibre et la sagesse — qu'« il est rare qu'un concile ne soit pas suivi d'une grande confusion » [51]. Newman avait étudié de très près la crise arienne. Or le Concile de Nicée, qui a défini notre foi fondamentale (325),

50. L'expression « textes mous » est du P. Bruckberger. Mais Mgr Graber remarquait que, par son caractère « pastoral », son style de larges vues sans canons affectés d'*Anathema sit,* le Concile a favorisé des dépassements éventuellement discutables : *Athanase et l'Église de notre temps*. Paris, 1973, 68. La *Praesentatio generalis textus de Gaudium et spes* disait : « Notandum est insuper, quod, attenta indole essentialiter pastorali textus, schema hoc non indiget disceptatione tam rigorosa cuiusque vocabuli, ut fieri deberet in re stricte dogmatica. » La critique de « timidité doctrinale » est de Mgr H. Denis, *Les chemins de la théologie dans le monde de ce temps*. Paris, 1977, 66 s.

51. Lettre du 7 août 1870 à O'Neill Daunt : *Lettre au duc de Norfokl (1874) et Correspondance relative à l'infaillibilité (1865-1875)*. Trad. B.-D. Dupuy. DDB, 1970, 457.

a été suivi de 56 ans de démêlés ponctués de synodes, d'excommunications, d'exils (St Hilaire), d'interventions et de violences impériales. Chalcédoine (451) a exigé bien des explications et des précisions. Le monophysisme, qu'il avait condamné, a resurgi sous la forme du monothélisme, condamné seulement en 649 (Rome) et 681 (Constantinople III). On a même montré que l'iconoclasme est la dernière des hérésies christologiques : condamnation par le 2e Concile de Nicée (787), le dernier qui nous soit commun avec l'Orient orthodoxe.

Pour plusieurs conciles, il y a même eu aussi non-réception par une partie de l'Église, pour des raisons où le sentiment national ou la politique jouait un grand rôle : Éphèse (431) est refusé par les nestoriens, Chalcédoine par les monophysites (Égypte, Abyssinie : on reconnaît aujourd'hui qu'ils ont refusé le concile de l'empereur byzantin mais que leur christologie n'est pas hérétique, ainsi qu'en témoignent leurs récentes professions de foi). Nicée II a été rejeté par Charlemagne et son Concile de Francfort (794), ce contre quoi s'est élevé le pape Hadrien Ier. Trente n'a évidemment pas été reçu par les protestants et les anglicans. Vatican I a été dénoncé par Döllinger et par les vieux-catholiques.

De plus un concile comme Vatican II, parce qu'il incorpore et traduit une grande concentration de conscience et de vie ecclésiale, représente un grand dynamisme, mais qui ne sort ses effets qu'avec le temps. Le cas du Concile de Trente est significatif. Immédiatement reçu en Espagne, il ne l'a été en France que progressivement, du moins pour ses décrets disciplinaires : d'abord par des synodes provinciaux (Besançon 1571, etc.), puis en 1615 par l'Assemblée du clergé à Paris. Mais tandis que saint Charles Borromée, qui avait participé au Concile, fonda de suite un séminaire, les guerres de religion et d'autres causes ont retardé chez nous des initiatives semblables : un vrai séminaire ne date guère que de 1635 (Les Bons-Enfants, de St-Vincent-de-Paul) et 1642 (M. Olier, Saint-Sulpice).

Tous ces conciles ont eu un avenir et ont agi lentement, mais longtemps, sur les esprits et la vie de l'Église. Latran IV (1215) a rayonné sur tout le XIIIe siècle[52] par ses canons, qui sont passés

52. Voir le beau volume de R. Foreville, *Latran I, II, III et Latran IV (Histoire des Conciles œcuméniques,* 6), Paris, 1965.

dans le recueil des Décrétales de Grégoire IX, par ses deux premiers chapitres qui ont été une base et un test de connaissance théologique pour les prêtres, par sa législation ordonnant la tenue régulière de synodes diocésains. M.J. Gaudemet a identifié, pour la France, au moins 90 conciles notables tenus au XIIIe siècle[53]. Trente a conditionné le catholicisme pendant trois siècles, soit qu'il ait réaffirmé la doctrine catholique reçue, en face de la Réforme, soit parce que son élan a été puissamment relayé par la Compagnie de Jésus, soit par les créations programmées par lui et mises en œuvre par la papauté (Index, catéchisme, réformes, profession de foi de Pie IV, Missel de Pie V...), soit enfin par la création ultérieure des congrégations romaines, instruments d'une centralisation qui ne produira tous ses effets que dans la Restauration catholique du XIXe siècle, après la Révolution et Napoléon, après la victoire sur l'épiscopalisme et le gallicanisme... Vatican I a dominé la vie catholique jusqu'à Vatican II, soit depuis la Constitution *Aeterni Patris* dans l'enseignement des clercs (révélation, surnaturel, raison-foi, apologétique), soit depuis la Constitution *Pastor aeternus*, dans la vie concrète de l'Église et l'ecclésiologie (infaillibilité, autorité papale et centralisation, encycliques, rôle des collèges romains...).

Il est donc certain, au moins bien probable, que Vatican II conditionnera la vie de l'Église pendant longtemps. C'est qu'un concile incorpore une grande densité de fidélité et de sagesse venant de l'Église entière ; il est un événement de type pentecostal ; « cum essent omnes congregati in unum » (Jean XXIII a parlé de Vatican II en ces termes), une visite de l'Esprit Saint, une sorte de nouvelle Pentecôte...[54].

Étrange Pentecôte, qui nous a valu tant de débordements, disent certains, parfois avec un accent de joie sarcastique qui fait

53. J. GAUDEMET, *La vie conciliaire en France*, in Lot et Fawtier, *Histoire des institutions françaises au moyen-âge,* t. III, Paris, 1963, 314, n. 1.

54. JEAN XXIII en a souvent parlé en ces termes : discours du 17 mai 1959 (*Doc. cath.*, 1959, 769-770) ; Pentecôte 1960 (*Doc. cath.*, 1960, 806) ; constitution *Humanae salutis* du 25 décembre 1961 (*Doc. cath.*, 1962, 104) ; discours de clôture de la première période du Concile, 7 décembre 1962. PAUL VI a parlé du besoin d'une perpétuelle Pentecôte : audience du 29 juin 1972, *Doc. cath.*, 1972, 1 105).

mal..., tandis que les fidèles du Renouveau, dit parfois « charismatique », voient la Pentecôte s'étendre partout, comme un feu de brousse.

Reconnaissons d'abord les abus. Non seulement nous les déplorons, mais nous les critiquons. Il était normal que le Concile ait, au-delà de lui-même, un dynamisme, et qu'on se réclamât de lui pour appuyer bien des initiatives. Il a existé un certain simplisme à user du schéma « avant-après », comme si Vatican II marquait un commencement absolu, l'année zéro d'une nouvelle Église[55]. J'ai tenu et je tiens à souligner la continuité de la Tradition, dont Vatican II est un moment : ni le premier, ni le dernier. De même que Trente, Pie V ou Pie X ne sont ni les premiers ni les derniers.

Que la crise présente soit le fruit de Vatican II, je ne le crois pas. D'une part, bien des réalités préoccupantes d'aujourd'hui s'annonçaient déjà dans les années 50, parfois dans les années 30[56]. Le Concile ne les a pas suscitées. D'autre part, la crise dépend de façon assez décisive de causes qui ont dévoilé leur force après le Concile et que celui-ci a plus prévenues et conjurées que suscitées. Vatican II a été suivi par une mutation socio-culturelle dont l'ampleur, la radicalité, la rapidité, le caractère cosmique n'ont d'équivalent à aucune autre époque de l'histoire. Le Concile a senti la mutation (cf. l'introduction de *Gaudium et spes*), mais n'en a pas connu tous les aspects ni la violence. Nombre de questions ont surgi depuis douze ans, que le Concile n'a pas connues, ou qu'il a tout juste soupçonnées : écroulement du crédit de la métaphysique, fièvre d'herméneutisme, triomphe des méthodes critiques, développement envahissant des « sciences humaines », possibilités de manipulation de l'homme, révolte d'une jeunesse qui constitue un monde semi-autonome et, si souvent, rompt la continuité avec ce qui la

55. « Le Concile était apparu à bien des consciences chrétiennes comme une réforme ou une révolution, c'est-à-dire un nouveau commencement » : J.F. Six, *Le courage de l'espérance. Les dix ans qui ont suivi le Concile*. Paris, 1978, 85.

56. Nous avons rassemblé un début de documentation à ce sujet. Citons : baisse du nombre des vocations, petits groupes spontanés, réformes liturgiques, interrogations philosophiques, soi-disant « théologie nouvelle », prêtres ouvriers, œcuménisme, diffusion croissante d'idées et d'attitudes favorisant l'autonomie et la spontanéité de l'individu, etc.

précède ; montée des femmes dans la vie sociale et le domaine de l'initiative, sécularisation radicale, urbanisation galopante, crise du « magistère » depuis 1968, inintérêt de beaucoup, même chez les clercs, pour ce qui est d'Église et accaparement par les choses terrestres, invasion par la politique et par les catégories marxistes...

Je ne nie pas cependant que Vatican II ait une certaine responsabilité dans la crise. J'ai plusieurs fois déjà dit comment et dans quelle mesure [57]. Du seul fait qu'il y a eu concile, discussion, et que tout a été répercuté, amplifié, par les moyens modernes de communication ; que le fait « concile » a changé les conditions établies depuis Pie IX dans l'exercice de l'autorité [58]. La publicité du Concile a révélé que « l'Église » n'avait pas réponse à tout, qu'elle connaissait des tensions internes. Par la franchise des débats, par l'ouverture à des apports longtemps ignorés, exclus, condamnés, par une saine critique interne poursuivie à la lumière des exigences tant de la mission que de l'Évangile, l'inconditionnalité du système hérité de la Contre-Réforme et de la restauration antirévolutionnaire du XIXe siècle, avait été dissoute... Des courants d'idées, des attitudes trop longtemps tenues à distance ont pénétré par les portes et les fenêtres enfin ouvertes. La crise est venue *aussi* par là.

Mais je voudrais évoquer, en terminant, quelques fruits positifs du Concile. Ils sont, je crois, très substantiels, mais consistent largement en promesses dont nous ne tenons présentement que les primeurs. Enumérerai-je la vitalité des Églises locales, le déploiement des charismes et des ministères de base, la progressive maturation des efforts œcuméniques, l'engagement partout *pour l'homme*, là surtout où il est écrasé, éprouvé, ce qui, avec tant d'exemples d'une générosité spirituelle totale, fait de notre époque une des plus évangéliques de l'histoire ?

---

57. Ainsi dans *La crise dans l'Église et Mgr Lefebvre*. Paris, 1976, 60 s. (2e éd., 1977, 62) ; *Eglise catholique et France moderne*. Paris, 1978, 49 s.

58. « Ce ne sont pas les positions prises par le Concile qui ont engendré la crise. C'est le fait même qu'un concile se soit tenu qui a déclenché une profonde mutation dans l'organisation interne de l'Église et dans le système de ses relations avec l'extérieur... » *Vivre notre histoire. Aimé Savard interroge René Rémond*. Paris, 1976, 144. Comp. M. LÉGAUT, in *Panorama chrétien aujourd'hui*, no 96, novembre 1976, 27.

Certes, je souffre de voir tant de grandes et belles constructions, que j'ai aimées, tomber en ruines ou livrées à l'encan, mais je suis en même temps émerveillé de voir partout tant d'initiatives, tant de germes venus de l'Évangile et de l'Esprit de Dieu. Comme Mgr Etchegaray le disait à une assemblée de Lourdes, quand un arbre tombe, cela fait du bruit ; quand une forêt pousse, on n'entend rien. C'est un proverbe chinois. Il exprime bien ce qui se passe, que l'on peut interpréter en termes d'ecclésiologie, car il s'agit bien d'un passage d'une vision de l'Église à une autre.

Cette vision a été dominée jusqu'à Vatican II par une définition juridique de l'Église comme société complète (*societas perfecta*), inégale ou hiérarchique », dont le premier article était la distinction, *de droit divin*, entre clercs et laïcs [59]. Vatican II enseigne une ecclésiologie de l'existence chrétienne structurée en Église, à base sacramentelle. La vitalité d'une telle Église vient beaucoup plus de sa base, des personnes mordues par l'Évangile et des communautés plus ou moins formelles qu'elles forment [60]. Cela peut favoriser, non un individualisme, mais un régime d'option personnelle par conviction motivée. « Protestantisation » ? Dans l'Église juridique, on acceptait tout sans poser de question. Aujourd'hui, on ne peut faire l'économie des questions. L'institution reste vivante, les événements de l'été 1978 à Rome l'ont bien montré. Sa vitalité est une condition de santé, mais de santé d'une vie à la base, celle d'une Église — peuple de Dieu dans l'itinéraire des hommes, d'une Église qui germe dans les groupes humains et d'eux, par la semence du Christ, Verbe fait chair, Parole et Sacrement, mise en eux par l'apostolat.

« Je vous le dis : Levez les yeux et voyez : les champs sont

---

59. Cf. K. WALF, *Die katholische Kirche — eine « societas perfecta » ?*, in *Theol. Quart.* 157 (1977) 107-118 ; N. TIMPE, *Das kanonistische Kirchenbild vom Codex Iuris Canonici bis zum Beginn des Vaticanum Secundum (Erfurter Theol. Studien* 36). Leipzig, 1978 ; H.M. LEGRAND, *Insertion des ministères de direction dans la communauté ecclésiale,* in *Revue de Droit canonique* 23 (1973), 225-254.

60. Il y a quelque chose à retenir de cette remarque d'Italo MANCINI : « Si le succès du Concile de Trente a été en grande partie l'œuvre de congrégations religieuses qui ont fleuri dans son sillon, de même la possibilité du succès du changement de route inauguré par Vatican II sera proportionnelle au développement, à l'ardeur, à la floraison des communautés de base qui rendent l'amour chrétien visible » (in G. ZIZOLA, *L'homme du septième jour*, Paris, 1978, 126).

blancs pour la moisson » (Jn 4, 35) ; « la moisson est abondante, mais les ouvriers peu nombreux ; priez donc le Maître de la moisson... » (Mt 9, 27-28 ; Lc 10, 2). Je voudrais, pour conclure, citer ici, mais sous forme de prière priée, le Psaume 80 : « Seigneur, reviens enfin, visite cette vigne, protège-là, celle que ta droite a plantée ! »

CHAPITRE V

L'ÉGLISE EN CARTES
A propos d'un traitement informatique des textes de Vatican I

Le Centre de Traitement Électronique des Documents (CETEDOC) de l'Université catholique de Louvain a entrepris de mettre en cartes perforées et de traiter avec les ressources de l'informatique un certain nombre de textes, parmi lesquels ont déjà fait l'objet d'une publication les sources franciscaines, quatre grands ouvrages de S. Bonaventure, divers textes intéressant l'histoire du Moyen Age (par exemple la Chronique de S. Hubert), son histoire littéraire (Index Aristotelis et al.) ; enfin, et c'est cela qui nous concerne, plusieurs conciles « œcuméniques », à savoir : Latran I à IV, Lyon I et II (en collaboration avec le Centre de Recherches d'Histoire médiévale de la Sorbonne : M. Michel Mollat), Vatican II (avec Ph. Delhaye) ; bientôt Vienne, plus tard Trente : mais on voit ici combien le qualificatif d'« œcuménique » est discutable. Paul VI a dit, au sujet de Lyon II, « le sixième concile général tenu en Occident ». C'est l'expression la plus exacte. Le CETEDOC vient de publier le résultat de son travail sur Vatican I[1].

1. R. AUBERT, M. GUERET, P. TOMBEUR, *Concilium Vaticanum I. Concordance, Index, Liste de fréquence, Tables comparatives*. « Informatique et étude de textes », coll. dirigée par Paul Tombeur, IX). Louvain, Publications du CETEDOC, 1977 ; 21 × 27, XXVIII-276 p.

Il s'agit donc de mettre en cartes et de traiter par « computor » le vocabulaire des conciles catholiques depuis Latran I, sur la base de l'édition de l'Institut bolonais pour les Sciences religieuses. Très justement, on a tenu compte du fait qu'un vocabulaire n'est pas fait uniquement de mots isolés comme des cailloux sur un rayon. Les cailloux eux-mêmes ne parlent au géologue que situés dans un terrain. De même les mots n'ont leur pleine valeur sémantique que dans une phrase et un contexte [2]. Les *mots* font partie du *langage*. On sait quelle critique James Barr a tirée de ce fait à l'égard du *Wörterbuch zum Neuen Testament* de Kittel-Friedrich, pourtant si remarquablement instructif [3]. Aussi le CETEDOC a-t-il joint à des tables de fréquence des *mots* une Concordance qui reproduit le membre de phrase où se trouve le mot ; cela également pour les locutions propositionnelles (introduites par une conjonction comme *ad* ou *in*) et pour les phrases comportant un terme qu'on a considéré comme un mot-clé dans Vatican I : une vingtaine de termes effectivement significatifs, à savoir *apostolicus... vicarius.*

Quels textes ont été ainsi répertoriés ? Non seulement le texte définitif des deux constitutions dogmatiques promulguées par Vatican I, à savoir *Dei Filius* et *Pastor aeternus* (d'après l'édition de Bologne de 1973, avec référence à la page et à la ligne), mais le schéma qui les a précédées et préparées, c'est-à-dire, pour *Dei Filius*, un *De Doctrina Catholica* dont on n'a retenu que les onze premiers chapitres, les seuls qui intéressent le texte définitif, et, pour *Pastor aeternus*, un *De Ecclesia Christi* en 15 chapitres (dont seul le 11e a été retenu au concile !) et deux versions préliminaires du chapitre IV sur l'infaillibilité du magistère papal, une préparée en juin 1869, l'autre distribuée le 6 mars 1870. Les textes préparatoires sont pris de Mansi, avec référence à la colonne et à la ligne et, du reste, reproduits en photocopie à la fin du volume. Évidemment, par des sigles simples, on a toujours

2. Prenons un exemple : le mot *sensus*. Il peut s'agir du sens d'un mot en exégèse, mais aussi de l'espèce d'instinct, *sensus fidei* (Vatican II, *Lumen gentium* n° 12), « illative sense » de Newman... Sans compter, en anthropologie, les sens comme le toucher ou l'odorat.

3. James Barr, *Sémantique du langage biblique*. Paris, 1971.

distingué les textes préparatoires et celui des constitutions définitives.

Pour notre plus grand profit, les pages 202-239 nous donnent, en trois colonnes, une comparaison du vocabulaire de Vatican I et de Vatican II, mais fatalement réduite aux *mots*. Pour un ecclésiologue, c'est d'un intérêt évident, puisque l'ecclésiologie a tenu une place considérable dans l'un et l'autres conciles. Nous sommes incompétent en informatique, mais nous nous intéressons aux idées et à l'histoire des doctrines. C'est de ce point de vue que nous ferons ici quelques remarques.

D'abord la continuité du vocabulaire, entre l'un et l'autre conciles. Compte tenu, en effet, de l'inégale quantité des « occurrences » ou des mots — 15.289 à Vatican I, y compris les schémas, 104.882 à Vatican II — certains termes semblent bien se trouver en proportion sensiblement égale dans l'un et l'autre conciles. Nous avons relevé en ce sens *auctoritas, doctrina, ecclesia, error, fides, magisterium, pontifex, rationabilis, religio, revelatio, salus, scientia, veritas*. On pourrait même ajouter *gratia, peccatum, redemptio*... Nous signalons cette liste à ceux qui, arguant bien à tort du fait que Vatican II s'est voulu et dit concile « pastoral », méconnaissent et récusent sa valeur doctrinale, et l'opposent à Vatican I.

Mais il est vrai que Vatican II, d'une part a traité des sujets auxquels Pie IX et Vatican I ont été étrangers — ceux de *Gaudium et Spes*, de la liturgie, et l'œcuménisme, de l'apostolat des laïcs, etc. —, d'autre part que, même en ecclésiologie, il a bénéficié des ressourcements et des renouveaux qui ont marqué le second tiers du siècle. D'où un grand nombre, soit de termes dont la fréquence à Vatican II est sans proportion avec celle de Vatican I, soit de mots qui ne se rencontrent jamais dans Vatican I. Dans le premier groupe signalons, sans prétendre à une liste exhaustive, activitas, *actuosus, adultus, alumnus,* amor (113 fois !), *apostolatus, apostolicitas, associatio, baptismus* (43 fois), *caritativus, catechesis* et autres termes apparentés, *celebratio, cena, clericus, cœtus, collectivus, collegialis, colloquium, concelebratio, conferentia, congregatio, coniugalis, conscius, cooperatio, Deipara, diaconus,* dialogus, *diœcesis, doctrinalis, ecclesialis, efficacitas, eschatologicus* (3 fois), evangelizatio (31 fois : un terme d'action qui met l'Évangile dans le dynamisme de l'apostolat, evangelizare venant 18 fois)[4], *exigentia* (38 fois, le verbe 36 fois), *experire, fidelitas* (21), *fiducia,* fraternus (49 fois, fraterne 12, fraternitas 26), *gaudium* (23), *hierarchia* (36 fois ; le terme est donc récent !), historia (63), *hodiernus* (89), *humanitas* (33), *indefectibiliter* (3), *individualis, inservire* (56), *internationalis* (55), *juridicus* (20), *labor* (66), laicatus, *liturgia* et termes connexes, *Maria* (36), *matrimonium* (41), *maturitas* (12), *memoriale, messianicus* (5), ministrare (31 et termes dérivés), *miseria (12), missionalis (75, et autres termes apparentés), mulier* (35 fois), *mutatio* (15), *nationalis* (18), novitas (39 fois), *non-christianus* (18), *occidentalis* (7), *œconomicus* (85), œcumenismus (11), *operarins* (15), *oratio* (73 fois), *orientalis* (60), *paenitentia* (27 ; noter l'orthographe, qui éloigne du fâcheux apparentement à poena), *pascha* et *paschalis, patriarcha* et termes apparentés, pauper (42 fois), *personalis* (40), *plebs* (15), *praxis* (25), *presbyter* (136 fois) et *presbyterium* (12), *problema* (22), *professionalis* (16), *psychologicus* (15), *religiosus* (comme substantif, 57 fois), responsabilitas (42) *sacerdotalis* (54), *sacrificium* (47 fois : la doctrine eucharistique de Vatican II n'est donc pas la trahison de Trente que prétendent les partisans de Mgr Lefebvre), *Satanas* (2 fois), *servire* (17 fois), servitium (80 fois), *solidarietas* (9), *technicus* (42), *tentatio* (4), *theologia* (14), *traditionalis* (6), *unio* (47), *vernaculus* (13), *virgo* (43)... Il est clair que beaucoup parmi ces termes, tiennent à la matière que Vatican II a traitée et que Vatican I n'avait pas touchée, la liturgie par exemple, ou la vie temporelle. Beaucoup d'autres ont été introduits depuis quelques décennies dans notre vocabulaire, pour traduire nos préoccupations : l'exemple le plus achevé en serait *automatio*... Ils constituent un assez bon miroir de notre modernité. Quelques-uns — nous les avons mis en romain — sont significatifs et représentatifs de l'esprit de Vatican II en cela même qui le différencie de Vatican I.

Une autre liste, mais qu'on établirait grâce à des critères moins matériellement objectifs, colligerait les termes qui, tout en

4. Nous mettons les verbes à l'infinitif ; le CETEDOC classe les lemmes (forme-souche des mots), pour les substantifs au nominatif du mot, pour les verbes à la première personne de l'indicatif : c'est ainsi que *esse* figure à *sum*.

existant dans Vatican I, figurent en proportion nettement plus grande en Vatican II, compte tenu du fait que le texte de Vatican II est sensiblement sept fois plus long que ceux de Vatican I (bien que nous y incluions les schémas préparatoires ; mais notre recueil distingue bien schémas et constitutions dans ses tables de comparaison des vocabulaires). Voici la liste que nous proposerions, sous bénéfice d'une vérification qu'il est loisible à tout le monde de faire : *actus, agere, collegium* (qui n'a absolument pas le même contenu dans les deux conciles), *christifidelis* (une fois dans un schéma préparatoire, jamais dans les constitutions de Vatican I ; 77 fois à Vatican II), *episcopus, evangelium* (8 fois dans les schémas, une fois dans les constitutions de Vatican I ; 157 fois à Vatican II), *laicus* comme substantif (une fois dans les schémas, jamais dans les constitutions de Vatican I ; 200 fois à Vatican II), *ministerium* (6 fois dans les schémas, jamais dans les constitutions de Vatican I ; 147 fois à Vatican II), *traditio*. Nous ne voulons absolument ni disjoindre ni opposer les deux conciles, mais il est permis de relever leurs différences, qui s'expriment assez clairement ici.

Elles ressortiraient encore d'un troisième groupe de termes : ceux qui figurent dans les schémas et les constitutions de Vatican I, jamais à Vatican II. En voici quelques-uns (il y en a 56 en tout ; c'est fort peu) : *anathema, credibilis, credibilitas, fallacia, haereticus, secta.*

Nous avons donné une attention privilégiée à une comparaison du vocabulaire des deux conciles. C'est mal honorer l'intention principale du volume, qui porte sur Vatican I. Pour une étude minutieuse de celui-ci, deux autres listes comparatives seront d'un intérêt certain : celle des termes qui se trouvent dans les schémas préparatoires et n'ont pas été repris dans les constitutions, et, inversement, celle des termes employés dans les constitutions qui ne se trouvaient pas dans les schémas. Dans quelle mesure est-ce dû aux goûts des rédacteurs, dans quelle mesure cela recouvre-t-il des options de portée théologique ? Il faudrait examiner les cas pour en décider.

Nous sommes loin d'avoir développé toutes les ressources que le travail du CETEDOC met à notre disposition : par exemple, p. 163, le tableau comparatif de la fréquence des mots dans les six textes analysés de Vatican I : schéma *De Doctrina Catholica*, constitution *Dei Filius*, schéma *De Ecclesia Christi*, les deux projets de chapitre additionnel, constitution *Pastor aeternus*. Nous sommes trop intéressé aux idées, aux doctrines et à leur histoire pour suivre tous les détails de cet énorme travail. Que ses auteurs nous en excusent et qu'ils soient remerciés pour les ressources qu'ils mettent à notre disposition.

Addendum

Le Courrier du CNRS de juillet 1977, p. 81, fait connaître la création, le 1er mars 1977, d'une Recherche Coopérative sur Programme n° 484 (Bordeaux) pour le traitement informatique des suppliques et lettres communes des papes d'Avignon. On a commencé par celles du pontificat d'Urbain V (1362-1370) qui contiennent environ 30 000 lettres communes et dont les quatre premières années présentent à elles seules environ 23 500 suppliques. On y relève 130 précisions différentes possibles portant, par exemple, sur le demandeur, son origine géographique, ses grades universitaires, sa carrière, ses protecteurs, la nature de la faveur demandée (généralement un bénéfice ecclésiastique), etc. L'informatique permet la mise en mémoire d'ordinateur de toutes les informations. Elle pourra alimenter l'érudition des historiens, grâce aux tris et aux rapprochements qu'elle peut opérer.

Chapitre VI

LES THÉOLOGIENS VATICAN II ET LA THÉOLOGIE

Pour les théologiens comme pour les évêques, la première chose importante est qu'il y ait eu concile et qu'ils aient fait une expérience conciliaire. Beaucoup pensaient qu'en raison de la place prise par l'autorité papale, un concile était désormais inutile et même presque impossible. J'ai cité ailleurs nombre d'énoncés en ce sens depuis celui, assez effarant, de Joseph de Maistre en 1819 : « Pourquoi un concile œcuménique quand le pilori suffit ? » Il y a eu concile. Ce fait a entraîné deux conséquences majeures : 1) une expérience originale ; 2) la réouverture du chapitre de la vie conciliaire de l'Église.

L'expérience a d'abord été commune à tous ceux qui ont participé à l'événement de 1962 à 1965. Ce fut celle de l'assemblée ou de la venue ensemble comme telles. C'est tout autre chose que correspondre, lire un texte des autres ou même rassembler les avis écrits de tous sur une même question. A propos de la consultation de Pie IX sur l'Immaculée Conception, de Pie XII sur l'Assomption de Marie, on avait parlé de « concile tenu par écrit ». Un vrai concile est tout autre chose. Entendre et voir les autres, les rencontrer, recevoir ensemble l'expression d'une question et d'une conviction réalise d'une façon originale, avec force et plénitude, ce que Maurice Nédoncelle appelait la communication des consciences. Dans le soi-disant « concile tenu par écrit », chacun ne reçoit rien, ni ne modifie sa façon de voir, ni ne s'enrichit. Dans l'expérience de la venue et du travail ensemble, on reçoit et on donne, on modifie sa façon de voir grâce à ce qu'apportent les autres. Les Pères conciliaires ont souvent témoigné de cela. Ils se sont aussi aperçus que des idées, des aspirations qu'ils gardaient timidement pour eux et n'osaient trop exprimer étaient partagées par un grand nombre d'autres. Vatican II existait implicitement dans le vaste corps dispersé de l'Église avant de s'exprimer au plus haut niveau de l'assemblée conciliaire.

Concilium episcoporum est : « le concile est l'affaire des évêques » : c'est un mot des Actes du concile de Chalcédoine. Il exprime la vérité de ce que nous avons vécu, nous, théologiens, à Rome. Nous étions au service des évêques. Il est vrai qu'une des manières de les servir était de les renseigner sur les acquis de la pensée chrétienne, de les inciter à intervenir, de leur préparer les éléments de leur intervention. Mais ils restaient les juges, les maîtres. Dans les commissions et sous-commissions, c'était un travail commun, chacun selon son rôle. Déjà le concile de Trente avait donné l'exemple d'une telle collaboration, mais évêques et « théologiens mineurs » faisaient, si l'on peut dire, chambre à part. Les uns travaillaient sur le travail des autres ; il s'opérait un va-et-vient, un échange. Cela a produit les beaux textes que nous connaissons. A Vatican II, Pères conciliaires et « Experts » ont travaillé le plus souvent *ensemble.* Théologiens et Observateurs ont aussi fait nombre de conférences. Enfin il nous revenait de préparer l'*expansio modorum*, l'appréciation des amendements proposés. C'était un travail assez onéreux, peu gratifiant, que nous avons fait avec le plus grand sérieux et une conscience exigeante. Du reste, là encore, nous ne faisions que préparer, ce n'est pas nous qui décidions.

Vatican II a réouvert, dans l'Église catholique, non seulement le chapitre de la vie conciliaire, qui n'avait jamais été totalement clos, mais la conscience du fait que la conciliarité est une propriété essentielle de l'Église et fait partie de son régime de vie. Les conciles sont des événements, c'est-à-dire quelque chose d'autre que la récurrence régulière des phénomènes de la nature ou que les activités attendues d'une institution. C'est un fait qui, arrivé une fois, change quelque chose dans le présent et dans le futur. Il dépend d'une conjoncture singulière. On en a ressenti le besoin. Ainsi tenir effectivement un concile fait l'objet d'une décision ponctuelle. Mais qu'on soit prêt à le faire, que le génie vivant de l'Église comporte d'une façon ou d'une autre la tenue d'assemblées conciliaires, cela est essentiel et constant. Vatican II a fait école. Le 15 septembre 1965 Paul VI promulguait le *motu proprio* instituant le Synode des évêques : il s'en est tenu six à Rome ; le pape disait avoir été mû par l'expérience bénie faite dans le Concile du bénéfice retiré de son étroite union avec les évêques. Et nous avons eu des synodes nationaux, de types correspondant à l'esprit et aux structures de chaque pays : Chili, Hollande, Autriche, Suisse, Allemagne fédérale... Le Conseil œcuménique des Églises affectionne aujourd'hui le thème de « communauté conciliaire ».

Il nous revient alors, à nous, théologiens, d'amener l'eclésiologie au niveau de cette dimension de la vie ecclésiale, nouvelle et en même temps si traditionnelle. Pour retrouver une tradition plus ancienne que des siècles moins lumineux ont parfois obnubilée, l'histoire nous est nécessaire. Nous l'interrogeons beaucoup. Depuis la fin du Moyen Age et surtout dans les quatre derniers siècles, dominés par ce que Giuseppe Alberigo appelle le tridentinisme (distingué du concile de Trente lui-même), on a développé l'ecclésiologie, dans un climat de défense apologétique à tout prix, dans le sens papal seulement, avec une vision assez pyramidale dont nous avons recueilli de nombreux témoignages. Le droit aussi, et donc les structures. Nous sommes appelés à équilibrer cela, comme Vatican II l'a voulu et à demi réussi, dans le sens de la collégialité, de l'épiscopat, des Églises locales, de la conciliarité. A demi réussi, disons-nous. Antonio Acerbi a montré que Vatican II a gardé, sans parvenir à une synthèse parfaite, deux logiques ou deux perspectives : celle de l'Église définie comme société et celle de l'Église vue comme communion. A vrai dire, elle est effectivement les deux. Un laïc allemand, Friedrich Pilgram, montrait, en 1860, qu'elle est une communion existant en forme de société. Mais cela est plus profond que ceci, alors que l'inverse a pratiquement dominé. Le Concile a laissé aux historiens et aux théologiens la tâche de développer une théologie de l'Église, « nous » des chrétiens, communion de disciples structurée sur une base sacramentelle dont le droit précise les conditions, une théologie des Églises locales ou particulières, une théologie des ministères, de la place des femmes dans toute la vie ecclésiale, une théologie du statut exact du pouvoir primatial de l'évêque de Rome en référence à la communion des Églises et à la collégialité...

Non seulement dans l'Église catholique, mais dans toutes les Églises chrétiennes, cette ecclésiologie doit trouver son fondement et sa lumière dans une *théo*-logie trinitaire. Cela aussi a été engagé par Vatican II, mais est aujourd'hui en pleine élaboration, et cela, répétons-le, de façon œcuménique. C'est une grande grâce de notre temps. Cela appelle qu'on reconnaisse à l'Église son modèle trinitaire : pas purement paternel, ce qui favoriserait une autorité patriarcale et paternaliste ; pas purement christologique, ce qui pourrait mener à une vision pyramidale et cléricale ; mais aussi pneumatologique, ce qui fonde la participation de tous/toutes à la construction du Corps du Christ, et un régime de sens synodal (conseils, etc.). Le cher et saint Paul VI disait, dans l'audience générale du 6 juin 1973 : « A la christologie et spécialement à l'ecclésiologie du Concile doivent succéder une étude nouvelle et un culte nouveau de l'Esprit Saint, précisément comme complément indispensable de l'enseignement du Concile. » Cela se fait, cela se cherche. C'est un des prolongements théologiques de Vatican II.

Tous ceux que nous venons d'évoquer ont une très grande valeur œcuménique. Là encore, l'histoire doit d'abord avoir la parole. Bien faite, c'est-à-dire vraiment loyale et intelligente, elle a cette immense valeur de libération du poids mort du passé, un passé longtemps conflictuel, qu'Irénée Marrou avait bien perçue [1]. Nous attachons personnellement la plus grande importance à cette valeur de *catharsis*. Les travaux de J. Lortz pour

1. Voici son texte : « La prise de conscience historique réalise une véritable *catharsis*, une libération de notre inconscient sociologique, un peu analogue à celle que sur le plan psychologique cherche à obtenir la psychanalyse... C'est très sérieusement que j'évoque ici son parallèle : dans l'un et l'autre cas nous observons ce mécanisme à première vue surprenant par lequel « la connaissance de la cause passée modifie l'état présent » ; dans l'un et l'autre cas, l'homme se libère du passé qui jusque là pesait obscurément sur lui, non par l'oubli, mais par l'effort pour le retrouver, l'assumer en pleine conscience de manière à l'intégrer. C'est en ce sens que l'on a souvent répété, de Gœthe à Dilthey et à Croce, que la connaissance historique libère l'homme du poids du passé. » *De la connaissance historique*. Paris, Seuil, 1954, p. 273 s.

Luther, de F. Dvornik pour Photius, de W. de Vries pour les sept premiers conciles œcuméniques ont été pour cela des contributions de grand prix[2]. Le Concile a pu, grâce aux historiens — qui y étaient pourtant trop peu nombreux ! —, vouer à l'oubli les anathèmes mutuels de 1054 entre le légat romain (un Vosgien violent !) et le patriarche de Constantinople. Ah ! cette minute du 7 décembre 1965, où Mgr Willebrands a lu, en français, ce texte qui ouvrait le dialogue de charité, suivi depuis par le dialogue théologique entre l'orthodoxie et nous !

Vatican II a légué aux théologiens d'immenses et magnifiques tâches à remplir dans le domaine du dialogue œcuménique. Des théologiens y travaillent. On croit parfois qu'en œcuménisme il ne se passe plus rien. Ce n'est vrai à aucun des niveaux et pour aucune des façons dont s'exerce l'œcuménisme : spirituel, pratique, pastoral, institutionnel, théologique. En théologie, l'œcuménisme est devenu une dimension coextensive à tout travail. Il faudrait plutôt veiller à sauvergarder, là où il doit avoir sa place, le spécifique catholique... Les progrès dans les explications mutuelles, dans les « Accords » rédigés par des commissions mixtes officiellement mandatées, étaient impensables il y a seulement quarante ans. Il reste bien des questions à élucider. En voici quelques-unes qui nous préoccupent et nous occupent personnellement : ecclésialité des Communions issues de la Réforme, et statut de leurs ministres ; Eucharistie (sacrifice compris dans le Mémorial ; « présence réelle ») ; unité et diversités, quelles diversités sont admissibles dans un rétablissement de la pleine communion ? Est-il possible de ne pas imposer de tenir *tout* ce qui a été acquis, voire défini, par notre Église dans les siècles de séparation ? S'agissant de l'Orthodoxie, qui est radicalement la même Église, deux expressions dogmatiques différentes de la Foi, par exemple en l'Esprit Saint, sont-elles compossibles ? Complémentaires ? Comment « re-recevoir » le

---

2. Cf. J. Lortz, *La Réforme de Luther*. 3 vol., Paris, Cerf, 1970 et 1971. Fr. Dvornik, *Le schisme de Photius. Histoire et légende*. Paris, Cerf, 1950. W. de Vries, *Orient et Occident. Les structures ecclésiales dans les sept premiers conciles œcuméniques*. Paris, Cerf, 1974.

dogme papal de Vatican I, dont il est clair que ni les orthodoxes ni les protestants ne peuvent l'admettre tel quel ? « Re-recevoir », cela signifie recevoir une doctrine, ou une mesure canonique, ou une dévotion, dans un autre contexte, éclairé autrement, en synthèse avec d'autres valeurs. Cela change l'équilibre des éléments, et donc la portée des choses. Les études historiques, le dialogue déjà mené sur la papauté, le mouvement des choses et des idées chez nous feront tenir un jour Vatican I d'une façon nouvelle.

On voit comment Vatican II a fécondé la théologie, mais en lui laissant la tâche de difficiles gestations. En beaucoup de domaines Vatican II est resté à mi-chemin. Il a été l'aboutissement et la consécration d'un effort commencé avant lui, autant et plus qu'une initiative créatrice. Il appelle des élaborations nouvelles, aussi est-il légitime de parler d'un dynamisme du Concile, dynamisme qui, évidemment, ne saurait servir de couverture à des entreprises qui trahiraient la lettre et l'esprit du Concile : Paul VI l'a souvent rappelé. Nous suggérons quelques domaines de nécessaires prolongements, sans prétendre les évoquer tous. Nous ne dirons rien, par exemple, du vaste domaine des sacrements et de la liturgie, dont les rites ont été rénovés selon les indications du concile. Mais voici :

La prêtrise

Contrairement à ce que beaucoup ont cru, les prêtres ont été présents à la pensée des Pères conciliaires. Cette pensée a suivi un mouvement significatif. D'abord on est passé d'un projet de « Message », qui sentait le moralisme et le paternalisme, à celui d'un texte théologique. Mais les titres successivement donnés aux tentatives successives expriment bien l'évolution des idées : « Des clercs » (avril 1963) ; « Des prêtres » (mars 1964) ; « De la vie et du ministère sacerdotal » (octobre 1964) ; « Du ministère et de la vie des prêtres » (novembre 1964). On est passé de l'état clérical aux personnes, puis on a donné la priorité à la fonction et aux activités auxquelles les prêtres sont voués, celles de l'apostolat, pour faire qu'il y ait Église, comme collaborateurs des évêques. Depuis le Concile, à travers une crise dont nous ne pouvons pas ne pas souffrir, les idées ont continué d'évoluer. Il est paru, sur le prêtre et les ministères, un grand nombre d'études intéressantes. Le prêtre est beaucoup plus vu dans sa relation à une communauté qui a besoin de lui pour se construire, se réunir, rayonner, célébrer son Eucharistie. Car cette communauté se veut d'Église ! Et le prêtre n'est pas seul, mais il est comme le moyeu qui fait tenir ensemble les rayons d'une roue. On dépasse une approche purement christologique, verticale et personnelle pour une approche communautaire, donc amie du modèle trinitaire, une approche fonctionnelle. C'est cohérent avec l'ecclésiologie de communion.

La Mission, les Missions

Le Concile s'est voulu et a été habité par l'appel de la mission. Les premiers mots de sa constitution dogmatique *Lumen Gentium*, l'idée qui y est proposée de l'Église — « sacrement du salut » en sont le signe. Sa Commission des missions et le texte qu'elle a fourni, *Ad Gentes divinitus*, ont porté le souci de relancer une activité missionnaire exercée surtout par les Congrégations missionnaires qui souffraient et souffrent malheureusement d'un manque d'entrées de forces jeunes. Cela reste valablè. Mais une évolution se dessine depuis le Concile. Les Églises locales prennent beaucoup plus en mains la tâche d'évangélisation. N'a-t-on pas pu dire : saint Paul n'a pas fondé des missions, mais des Églises ? Elles devaient croître elles-mêmes. C'est vrai, mais il envoyait aussi Timothée, Tite, Sosthène, Silvain, d'autres encore. Il faut l'activité des missionnaires et l'évangélisation autochtone. Le grand problème aujourd'hui posé, et qui réclame un effort nouveau de la théologie, est que les Églises locales soient pleinement les sujets de leur vie et de leurs questions, c'est-à-dire les agents responsables. Paul VI à Kampala. Jean-Paul II en six pays différents ont proclamé le droit et le devoir, pour l'Église, d'être africaine en Afrique. Mais quel problème ! Paul VI insistait justement sur l'unité de Foi. Mais en elle prennent place des théologies diverses. Ce sont les problèmes d'une pleine inculturation africaine : valeurs africaines, problèmes du mariage, de l'initiation, du culte des ancêtres[3]... C'est, en Amérique latine, la théologie de la libération. Il ne s'agit pas de déduire des thèses des principes théoriques acquis : l'expérience d'un peuple chrétien et pauvre, en quête douloureuse de sa dignité, de sa liberté, de ses droits, entre dans le donné même d'une approche neuve du mystère du Christ et de Dieu. Une Église naît du peuple par des surgissements d'Évangile. Tout cela était inimaginable sous Pie IX. A Vatican I il n'y avait pas un seul évêque noir ; à Vatican II ils étaient une centaine. Ils s'y sont réunis, ils ont pris conscience de leur commune identité. Le mouvement continue. L'Afrique a reçu l'héritage du christianisme catholique. Les héritiers ont maintenant la parole. C'est toujours le même problème : que les chrétiens, que les Églises soient *sujets* responsables de leur vie.

Église « ad intra », « ad extra »

On se rappelle qu'à la fin de la première période, où le Concile s'était un peu cherché — « En fait de concile, nous sommes tous des novices », disait Jean XXIII —, les cardinaux Suenens et Montini avaient indiqué ainsi un large programme de travail. De fait le concile a commencé par la liturgie, Bible et Tradition, puis l'Église elle-même, et il a terminé par une « Constitution patorale » sur l'Église dans le monde de ce temps, *Gaudium et spes*, puis par une grande cérémonie sur la place publique et sept messages aux principales catégories d'hommes et de femmes. Mais cette distinction entre l'*intra* et l'*extra* avait une simple valeur pratique pour organiser le travail du Concile. Elle a une vérité objective en ce sens que l'Église a ses principes d'existence propres, irréductibles aux énergies de la création naturelle, à savoir la grâce du Saint-Esprit dans l'institution salutaire issue du Christ. Cette existence, cependant, est historique. Elle a son histoire propre, impossible à écrire adéquatement, *dans* l'histoire

3. Voir J.-M. Ela, R. Luneau, Chr. Ngendakuriyo, *Voici le temps des héritiers. Églises d'Afrique et voies nouvelles.* Postface de V. Cosmao. Paris, éd. Karthala, 1981.

globale de l'humanité, avec, entre les deux, des interactions réciproques. En un sens l'Église vit dans le monde, en un sens elle l'englobe : la rédemption englobe la création. C'est pourquoi l'évangélisation comporte la libération, comme l'ont dit non seulement Jean-Paul II, mais les Synodes des évêques de 1971 et 1974 : ces Synodes poursuivent ainsi l'œuvre du Concile et contribuent au déploiement de sa théologie. Mais il existe un autre aspect, très important, selon lequel on ne peut séparer *intra* et *extra.* De fait, il est souvent impossible, dans une entreprise d'aide, de faire une distinction entre le « pastoral » d'Église et le « social ». Il y a plus : l'existence de l'Église, disions-nous, est historique, elle se construit avec les éléments du monde, comme une église avec les pierres d'une carrière de notre terre. Elle présente un certain visage que l'histoire nous fait connaître pour le passé et la sociologie pour le présent. Dès lors il n'y a pas que la *parole* évangélique proclamée : les institutions et l'agir de cette Église ont leur langage dans le monde et pour lui. Comment inviter les hommes et les peuples à être les *sujets* responsables de leur vie, comme fait justement *Redemptor hominis* (n° 17), s'ils ne l'étaient pas dans l'Église ? Comment prêcher la réconciliation ou la pauvreté et le partage si, dans l'Église, la voix est celle de Jacob mais les mains celles d'Esaü ? Qu'on nous permette une anecdote personnelle. Après un début de travail dans la commission théologique préparatoire (antéconciliaire), je dis au secrétaire de cette commission : « Qu'est-ce que ce que nous faisons peut dire aux hommes/femmes que je rencontre dans la rue ? » On me répondit : « Cela ne nous concerne pas. Nous faisons de la doctrine ; c'est aux curés, aux paroisses et aux œuvres de monnayer cela ! » Et de même, car je dis aussi que nous devrions travailler avec le Secrétariat pour l'unité, ce n'était pas à nous, commission théologique, de chercher à donner à nos textes une valeur d'œcuménisme... Il est clair que cette façon de séparer le *ad intra* et le *ad extra* doit être dépassée. Le propos de tenir un Concile *pastoral* exigeait ce dépassement.

Dirons-nous que la théologie doive toujours être formellement pastorale ? Non. Un théologien ne perd pas son temps en faisant de la science pure à l'intérieur de la Foi aux mystères. En cela même, il est toujours au service du Peuple de Dieu. Ce service demande de très gros investissements, un obscur et long travail dans les fondements. Il a même besoin d'une bonne Intendance : pensons aux éditions critiques des textes, à l'indispensable bénéfice de bonnes bibliothèques, etc. S'agissant plus particulièrement de l'ecclésiologie, nous apprécions la profondeur que lui a donnée, par exemple, la spéculation d'un Charles Journet. Mais, serait-ce un peu contre nous-mêmes, nous pensons que la sociologie peut, bien mise en œuvre, le garder de certaines illusions sur la portée réelle de tels de ses discours : soit en critiquant et précisant certaines catégories employées trop naïvement, soit en faisant prendre conscience du hiatus entre un discours de conviction et les effets réels qu'il induit : s'agissant, par exemple, de la loi du célibat pour les prêtres. Ou bien le théologien parle idéalement de l'Église comme fraternité, comme temple du Saint-Esprit : le sociologue en précisera la traduction concrète et institutionnelle, par exemple, en régime de conseils, en vie synodale, en conditions nécessaires pour que les fidèles ou les communautés soient vraiment les *sujets* de leur vie.

Éthique et anthropologie

Sans doute y a-t-il là une faiblesse de Vatican II. C'est surtout dans *Gaudium et spes* que se trouvent des données en ces domaines. Du reste, cette Constitution pastorale est, avec *Lumen Gentium* et le Décret sur l'œcuménisme, l'un des textes conciliaires qui rencontrent le plus d'écho et sont les plus actuels. Qu'il s'agisse d'ordre économique et socio-politique ou du rapport homme-femme, la théologie se devait, après le Concile, de pousser plus loin que lui. Beaucoup de problèmes sont nouveaux ou se posent dans des conditions nouvelles. Plusieurs chapitres hérités du passé sont à récrire. Les théologiens moralistes n'abondent pas. Leur tâche est aussi difficile que vaste. Comment articuler l'apport des sciences humaines en plein essor avec les exigences ou les requêtes de l'Évangile ? Et d'abord comment reconnaître celles-ci compte tenu de certaines positions plus ou moins classiques, plus ou moins officielles ? Plusieurs fois des moralistes actifs et courageux se sont heurtés à celles-ci.

Aussi dirons-nous un mot, pour conclure, des relations entre théologiens et « magistère »[4]. La collaboration au Concile a été exemplaire, mais elle n'est pas plus renouvelable que le Concile lui-même. Elle existe non seulement pour l'Assemblée annuelle de Lourdes, dans les diverses commissions de l'épiscopat, mais de façon occasionnelle et personnelle. Rome même interroge les théologiens, au moins ceux qu'elle veut. Elle admet parfaitement et elle proclame que la fonction du théologien est autre que celle du « magistère » et qu'elle comporte un statut de juste liberté de recherche au-delà de l'acquis et de l'homologué. On doit reconnaître que, dans l'ensemble, depuis le Concile, les théologiens jouissent de cette liberté dans les limites de la Foi de l'Église, qui sont les limites mêmes de leur science. Pourtant, leur relation au « magistère » a un peu changé par rapport à ce qu'elle a été, *grosso modo*, entre Vatican I et le pontificat de Pie XII. Mais sans doute le « magistère » a-t-il lui même un peu changé d'exercice et fait-il moins de *théologie*... Il y a eu ce que K. Rahner appelle la « Denzingertheologie, la *Schultheologie* » : on partait, pour les justifier et les commenter, des prononcés du « magistère ». Cela donnait une théologie toute faite, en quelque sorte indépendante d'un esprit qui la pensât. Les théologiens, aujourd'hui, pensent beaucoup plus les questions à partir des sources et surtout des données qu'apportent l'expérience, la culture, les réalités elles-mêmes. Le Concile lui-même est peu pris comme source, bien qu'il soit souvent cité : plutôt en confirmation qu'en source. Du reste, il est heureux qu'il ne soit pas pris comme une sorte de trésor ou de magasin dans lequel on pourrait indéfiniment puiser et qu'on se contenterait d'exploiter en commentant ses énoncés. A la limite, on trouve aujourd'hui la théologie-« je » dont nous parlons dans notre article des *Quatre Fleuves*. De quel « je » s'agit-il ? Est-ce celui du « Je crois [en l'Esprit-Saint] » *de l'Église* ? Cette question est réelle, elle est même décisive. Mais elle pourrait recouvrir une position trop simple. Car l'Église avance dans l'itinéraire des hommes. En ce

4. La question a été traitée déjà, y compris par nous, dans deux cahiers périodiques : *Le Supplément* n° 133, mai 1980 (« La régulation de la foi ») ; *Les Quatre Fleuves* n° 12, 1980 (« Les théologiens et l'Église »). Voir aussi le n° 168 de *Concilium*, octobre 1981 (« Qui a la parole dans l'Église ? »).

sens-là, elle est *à faire* sans cesse. Dans sa confession de foi, dans la théologie qui l'expose, il y a encore des choses non dites, non découvertes. C'est vrai d'abord de *la* Source inépuisable qu'est la Parole de Dieu témoignée par les Écritures canoniques. Mais quel sort a connu la Constitution dogmatique conciliaire *Dei verbum,* d'après laquelle « il faut que toute la prédication ecclésiastique soit nourrie et régie par la Sainte Écriture » (n° 21), « que l'étude de la Sainte Écriture soit pour la sacrée théologie comme son âme » (n° 24) ? Nous sommes, à tous les niveaux, loin de compte !

Nous avons donc, outre une part très classique et une part d'études positives scientifique, un large secteur de travaux personnels, sans couverture de magistère. La production théologique n'est pas en perte de vitesse, mais elle a changé. On a parlé de « déplacement(s) de la théologie »[5]. Déplacement d'approche et de thèmes : on privilégie ceux de théologie fondamentale, l'herméneutique. Déplacement des références, large entrée de l'œcuménisme, souvent traitement métaconfessionnel. Déplacement des lieux où l'on produit de la théologie : ce ne sont plus seulement les Facultés du même nom. Déplacement des agents, large entrée des laïcs, début de l'entrée des femmes.

Par tout cela, par ce que nous avons dit, on voit que le Concile n'est pas un terme, mais une étape. Le travail continue, en grande partie dans la ligne qu'il a tracée. Un concile agit longtemps. Cela tient au fait qu'il représente une exceptionnelle concentration de la conscience ecclésiale, sous la motion du Saint-Esprit. Mais l'Esprit est Souffle, Eau vive. Il ne s'arrête pas. Il est normal qu'après avoir trouvé sa consécration dans le Concile, la théologie vivante profite de lui mais aille éventuellement plus loin. Car nous sommes en 1982, vingt ans après. Nous en sommes là grâce à lui. C'est lui être fidèle que de continuer son œuvre, à condition, bien sûr, que ce soit dans la fidélité !

---

5. Simultanément un colloque tenu à l'Institut catholique de Paris et un fascicule de revue : J. AUDINET et al., *Le déplacement de la Théologie* (Le point théologique 21). Paris, Beauchesne, 1977 ; *Concilium* n° 135, 1978 (« Les déplacements actuels de la Théologie »).

CHAPITRE VII

LE RÔLE DES « OBSERVATEURS » DANS L'AVANCÉE ŒCUMÉNIQUE

Mes cours de l'année 1980-81 de l'Institut Supérieur d'Études Œcuméniques de Paris (I.S.E.O.) ont porté sur l'invitation faite aux non-catholiques romains de venir aux conciles de Vatican I et de Vatican II, sur le climat dans lequel cette invitation fut faite, sur les réactions à cette invitation ; puis, pour Vatican II, sur le rôle que les Observateurs y ont joué, les comptes rendus qu'ils ont faits à leurs Églises, enfin l'appréciation qu'ils ont exprimée du travail et des textes du concile. Évidemment, il fallait exposer aussi comment et par qui la situation avait profondément changé entre 1870 et 1962. Ce cours — je dois le reconnaître, car de nombreux et très vibrants témoignages m'en ont été donnés — a eu, pour mes étudiants, une remarquable valeur de révélation de l'œcuménisme. Cela s'explique : on assistait à des genèses. Or Aristote a raison : connaître la genèse des choses fait comprendre leur nature.

Il y avait une préhistoire à cette histoire. Je n'en ai pas parlé dans le cours, mais je la signale ici très brièvement. Raymonde Foreville, historienne des quatre premiers conciles du Latran, parle d'un observateur grec, le théologien Nectaire, au troisième, celui de 1179 ; il y aurait eu une attitude assez polémique (*L'année canonique,* 12 (1968), 13 s.). Les hussites avaient été invités par le concile de Bâle à envoyer une délégation, et cela malgré l'opposition du pape Eugène IV et du légat Cesarini. Procope et Jean Rokycana étaient arrivés à Bâle le 4 janvier 1433. Le cas du concile de Florence est tout différent. Les Grecs y ont siégé comme Pères du concile et ont librement discuté. Au concile de Trente, trop longtemps retardé — Luther est mort deux mois après son ouverture —, on désirait la venue de théologiens protestants, de Melanchton par exemple, mais les protestants se méfiaient d'un concile qu'ils estimaient ne pas être « libre » selon leurs critères ; quelques-uns sont venus en 1551-1552 comme représentants de leur prince, il n'y a eu ni dialogue ni même une vraie confrontation théologique avec eux.

Dans ces très grandes circonstances il s'agissait de ramener à soi des dissidents, non sans leur concéder quelque chose de ce qu'ils revendiquaient. On n'envisageait pas de se changer soi-même. Cela a été encore plus net au moment de Vatican I. Pie IX avait, par une lettre datée officiellement du 8 septembre 1868, invité les Orthodoxes à venir au concile. S'ils s'unissaient, c'est-à-dire s'ils reconnaissaient la primauté du Siège romain, ils siégeraient au concile avec les catholiques. Cette lettre, indiscrètement publiée par le *Journal de Rome*, ne fut pas « reçue » par les hiérarques Orthodoxes, et aucun ne vint au concile. Une autre lettre, officiellement datée du 13 septembre 1868, fut adressée aux protestants, sans que les anglicans aient été distingués des autres. Pour des raisons complexes, on ne s'adressait pas aux « Églises ou communautés ecclésiales », mais aux personnes. Elles étaient invitées à venir s'expliquer, discuter, recevoir la réponse à leurs questions ; elles ne pouvaient qu'être convaincues du bien-fondé des positions romaines... Aucun protestant n'est venu à Rome, mais il y eut d'assez nombreuses réponses écrites : un petit nombre ouvertes et relativement positives, quelques-unes plutôt agressives et présageant le futur « Kulturkampf », plusieurs exprimant de façon sérieuse des objections ou critiques de fond. C'étaient celles du XVIe siècle actualisées en référence à la situation du XIXe siècle.

Dans le monde protestant lui-même, au XIXe siècle, à la faveur d'un contexte global de voyages, de rapports entre les hommes, de besoin de s'associer, on trouve une extraordinaire abondance d'initiatives, mais elles viennent de personnes ou de groupes plutôt que d'Églises comme telles : « voluntary Movements », Sociétés de mission, etc. S'il s'agit de rapports entre chrétiens ou entre Églises, nous avons été frappé par le fait qu'au XIXe siècle tout le monde pratique une solide autojustification, à l'exception des mouvements de Haute-Église en Allemagne, et surtout en Angleterre.

Dans mes cours j'ai consacré une section très substantielle à exposer ce qui s'est passé entre le milieu du XIXe siècle et le milieu du XXe. Que de choses ! Du côté protestant ce furent un grand mouvement d'association ou de fédération, un grand élan missionnaire, enfin le puissant mouvement étudiant de l'YMCA-YWCA et de la Fédération mondiale des Étudiants Chrétiens, qui a fourni tant d'hommes et de femmes dynamiques au Conseil Œcuménique naissant. Celui-ci en a reçu une animation moins ecclésiocentrée que christocentrée et missionnaire : l'Église existe pour et par la mission. La dimension mondiale du Conseil et le sens même de son adjectif lui venaient de là. Il a existé aussi, nous le savons, un large travail au plan théologique. Dans l'Église catholique ce fut, lié à l'effort pastoral et à la valorisation des laïcs, le triple ressourcement biblique, liturgique, patristique, et il y a eu d'admirables pionniers de l'œcuménisme, comme Fernand Portal ou Lambert Beauduin, ce « veilleur avant l'aurore ». Nous ne pouvons détailler. Le résultat global a été de commencer de passer de l'autosuffisance au sentiment qu'on ne peut être et agir sans les autres. Il y a eu une découverte de l'autre et une volonté de s'unir avec lui. Le P. Maurice Villain pouvait écrire « L'Église catholique romaine ne pouvait, de nos jours, se réformer sans interroger les autres Églises et communautés chrétiennes » (Vatican II et le dialogue œcuménique, p. 11). Cela a été l'ère des « Observateurs ». Comment définir cette qualité nouvelle en matière d'Église ? On pourrait dire — mais c'est bien sec et administratif pour une réalité qui engage le cœur et l'âme — : des hommes/femmes représentant une Église ou les positions d'une communauté ecclésiale et qui sont accrédités comme tels auprès d'instances officielles d'une autre Église, non comme membres de plein droit de cette instance, mais pour suivre son travail et servir d'informateur dans un sens et dans l'autre.

Après avoir refusé d'envoyer des observateurs à Oxford et à Edimbourg en 1937 — il n'y eut que des individus, à leur initiative personnelle —, puis à Amsterdam en 1948, Rome accepta qu'il y en eût à Lund en 1952, puis à New Delhi en 1961. Le contact était établi.

Ni Jean XXIII ni le concile n'ont créé l'œcuménisme. Ils lui ont ouvert des possibilités nouvelles. Dès son annonce du concile, serait-ce d'une manière peu claire, Jean XXIII avait inclus « les autres » dans son projet. Du reste, comme le note G.C. Berkouwer, les autres et le monde entier étaient toujours présents dans ses propos (The Second Vatican Council and the New Catholicism, 1965, p. 13-14). Pour l'invitation d'observateurs au concile, on procède tout autrement qu'en 1868. On procède d'abord, et par rencontres personnelles, à une démarche exploratoire. Il n'y aurait invitation formelle que si ce premier accueil était positif. La réunion du Comité central du Conseil œcuménique à Paris en août 1962 fut une occasion exceptionnellement favorable de contact. C'est là et alors que Mgr Willebrands rencontra Mgr Nicodim, chargé des relations extérieures du Patriarcat de Moscou. W.A. Visser't Hooft prononça les mots décisifs « nostra res agitur » et donna le conseil de s'adresser aux grandes organisations internationales confessionnelles : conseil précieux, car on se demandait à qui s'adresser. Alors que Pie IX s'était, du côté protestant, adressé aux personnes — faire autrement était difficile, non tant pour des raisons théologiques qu'en raison de certaines situations où, par exemple, existait un lien juridique avec les États —, on voulait expressément s'adresser à des Églises ou des communautés ecclésiales. Ce qui n'empêchait pas les invitations à titre personnel, comme celle qui fut adressée à notre ami le Professeur O. Cullmann, qu'ensuite Paul VI affectionna avec toute la profondeur de son cœur.

De quarante pendant la première période du concile (1962), le nombre des observateurs arriva à dépasser la centaine pendant la quatrième période (1965). La question délicate des observateurs Orthodoxes comportait ses données propres. Certaines absences ont été douloureusement ressenties comme une faute historique. Ce que nous constatons et déplorons dans certains drames de l'histoire, nous y avons assisté, impuissants : une occasion unique manquée ! Mais si cela lui a infligé une blessure, cela n'a pas empêché l'action incomparablement bénéfique des observateurs.

Leur existence nous a valu, d'abord, la création du Secrétariat pour l'unité (5 juin 1960), auquel Jean XXIII a donné le statut d'une Commission conciliaire, et donc la capacité de proposer des textes en nom propre. A sa tête le cardinal Bea, Mgr Willebrands, le P. Pierre Duprey. Rome se donnait cet organe de dialogue qui a continué et continuera à nous faire dépasser l'autosuffisance et ce « triomphalisme » que dénonçait Mgr De Smedt dans son décisif et inoubliable discours du 19 novembre 1962. De ce jour-là et du vote qui suivit sur les « Deux sources », le P. Rouquette croyait pouvoir dater la fin de la Contre-Réforme.

Les observateurs étaient là comme des hommes religieux. Ils priaient avec nous, ils priaient entre eux. Leur présence a, par elle seule, contribué à faire comprendre aux Pères conciliaires le positif chrétien des autres. La qualité des hommes y a joué un rôle car, au concile, l'élément de confiance en telle personne avait une grande importance. Cette présence agissait par elle-même. Gérard Defois, Secrétaire de l'Épiscopat français, a pu écrire : « Pour la première fois, sans doute, dans un concile, les observateurs officiels, dont l'action ne pouvait être que consultative, jouèrent un rôle de témoin et empêchèrent l'assemblée de se fermer sur son propre discours. La qualité œcuménique des amendements, par exemple, fut un critère souvent décisif » (Recherches de Science religieuse 63 (1975) 763). En un sens, d'ailleurs, par leur présence, les observateurs étaient « témoins d'une absence », selon le mot heureux d'Hébert Roux, observateur pour l'Alliance Réformée mondiale (Le Concile et le dialogue œcuménique, p. 25). Ils posaient inéluctablement la question de l'unité chrétienne. Cela concourt à expliquer que le concile se soit si rapidement déclaré pour l'œcuménisme.

On peut dire, du reste, que les observateurs étaient de quelque façon des membres du concile. Les discours, souvent, les mentionnaient dans leur adresse. Les réceptions par le Pape, par le Secrétariat, n'étaient pas de pures cérémonies. C'est à celle du 17 octobre 1963 qu'eut lieu, entre le professeur H.K.E. Skydsgaard et Paul VI cet échange de propos sur « une théologie concrète et historique, c'est-à-dire nourrie de la Bible » s'attachant à scruter l'histoire du salut, et l'on sait qu'O. Cullmann avait inspiré le thème. Paul VI accueillait l'idée jusqu'à suggérer la possibilité de « créer une institution nouvelle dans ce but ». Et cela a été cet Institut de Tantur, entre Jérusalem et Bethléem, auquel O. Cullmann a tant apporté et où nous avons passé ensemble des mois bénis de travail et de prière. Mais il y a eu surtout cette impressionnante célébration œcuménique pour la fin du concile, le 4 décembre 1965, sur la tombe et la « confession » de saint Paul. Le Pape, qui la présidait, y a renouvelé la demande de pardon qu'il avait formulée le 29 septembre et le 17 octobre 1963. Oubliant ce qui est derrière, il fallait nous engager sur un chemin largement ouvert mais qui sera sans doute encore long.

Les observateurs ont agi au concile et sur le concile de bien des façons : réunions du mardi au Secrétariat, où ils exprimaient réflexions et critiques, ou des remarques éventuellement communiquées aux rédacteurs ; rencontres personnelles avec les Pères conciliaires, invitations et déjeuners ; conférences faites à des groupes d'évêques. O. Cullmann en a fait plusieurs, d'une franchise d'autant plus efficace qu'elle était plus mesurée. Sans vouloir majorer la chose, on peut souscrire à ce qu'a écrit W.A. Visser't Hooft (Le temps du rassemblement, 1975, p. 410) : Si on marquait en rouge les passages de Vatican II modifiés sur la base des remarques des observateurs, on obtiendrait un texte assez coloré.

Dans ces conditions, la participation d'observateurs est tout autre chose qu'un ornement qui rehausse le spectacle. Elle signifie et procure l'entrée des « autres » dans notre conscience et notre présence dans la leur. C'est le signe d'une sorte de « circumincession » des Églises qui ont chacune leur personnalité au sein d'une communauté de foi fondamentale et de baptême au nom du Seigneur Jésus. Telle est notre situation. Elle n'implique pas, théologiquement, un relativisme, un « faux irénisme », un mauvais libéralisme. Elle suppose un sentiment eschatologique, celui d'une eschatologie qui ne soit pas, en tout cas, adéquatement incarnée dans l'Église, « le ciel sur terre », mais qui soit ce à quoi tend l'Église en son itinérance terrestre. Un tel sentiment eschatologique fonde la conscience d'une inadéquation de l'Église présente à la plénitude de la vérité, et donc, du même mouvement, la nécessité des réformes et l'opportunité, si ce n'est l'exigence, de l'œcuménisme. Car la multiplicité des Confessions ou Communions chrétiennes vient de cette inadéquation. Le problème ecclésiologique le plus urgent de l'œcuménisme nous semble être celui de savoir quelle diversité, même au niveau de la dogmatique, c'est-à-dire de l'approche, construction et expression des croyances, est compatible avec la communion. Et plus même que compatible : normale, voire souhaitable. Nous avons consacré à ce sujet nos cours de l'I.S.E.O. de 1980 et nous avons pu rédiger ces cours en un volume remis à l'éditeur, *Diversités et Communion*.

O. Cullmann a lui-même traité ce sujet dans *Vrai et faux œcuménisme* (Cahiers théologiques 62), Delachaux-Niestlé, 1971. Il y opposait deux dangers contraires, celui d'une concentration biblique et christologique telle qu'elle manque une ouverture catholique universelle, et celui d'une ouverture au monde pratiquée de façon telle qu'elle mette en péril la nécessaire concentration biblique et qu'elle verse dans le syncrétisme. C'étaient là deux déformations de ce qui constituait, au positif, le *charisme* propre, d'une part au catholicisme, l'universalisme, et au protestantisme, la concentration. Chacun avait besoin de l'autre, comme avertissement critique et apport complémentaire. Au positif, disait O. Cullmann, p. 63, « la tâche œcuménique est *aujourd'hui* la suivante : il faut que chaque Église, dans une coexistence et une collaboration étroites et *pacifiques* avec l'autre, approfondisse et purifie son propre charisme de telle manière qu'elle se sente d'elle-même forcée de reconnaître le charisme de l'autre, mais aussi en même temps, qu'elle considère comme un avertissement les déformations du charisme de l'autre ». O. Cullmann a souligné le mot « aujourd'hui ». Ce qu'il propose n'est donc qu'une étape, et non l'éternisation d'une situation de coexistence pacifique et de dialogue. C'est la situation que nous connaissons. Dans la mesure même où nous parlons et échangeons, nous pourrions être tentés de nous en contenter. Mais la Commission Foi et Constitution du Conseil œcuménique n'a cessé et ne cesse de nous rappeler le but d'une unité organique, qu'elle ne confond évidemment pas avec l'uniformité. Un de ses Rapports rappelait, en 1960 : « L'unité de l'Église est très clairement indiquée dans le rapport qui existe entre *un* Corps et *un* Esprit. La diversité des dons charismatiques dispensés aux divers membres du corps est donnée pour le bien-être de tout le corps (...) Il est évident qu'on ne saurait confondre la diversité des dons mentionnés ci-dessus avec la

« diversité » de la vie chrétienne et du témoignage, tels qu'ils sont représentés dans les diverses dénominations et confessions. Les dons divers du même Esprit ne peuvent prospérer que si l'unité du corps est elle-même affirmée et manifestée » (dans *Verbum caro* 15 (1961), 270).

Autrement dit on ne pourrait se satisfaire de perpétuer l'existence séparée de deux Églises qui, ayant chacune son charisme, s'interpelleraient mutuellement en demeurant chacune là où elle est. Le but des dons de l'Esprit est l'unité du Corps du Christ. Mais dans ce Corps il faudra bien admettre, avant l'unité du Royaume eschatologique, une diversité de tendances qui se sont dégagées et concrétisées dans l'histoire. « Diversités réconciliées » ? Cette formule chère à la Fédération luthérienne mondiale exprime pour moi un vrai problème.

L'existence des observateurs répond à la situation, qu'on doit vouloir temporaire, où, étant encore incapables de ne former qu'un seul Corps visible, nous avons conscience de ne pouvoir exister qu'en tenant compte des autres, en reconnaissant leur positif chrétien, en acceptant les questions qu'ils nous adressent. C'est un fait : nous ne pouvons plus vivre autrement. Qu'il s'agisse de l''Assemblée du Protestantisme français, des Synodes de l'Église Réformée de France, de l'Assemblée annuelle de l'Épiscopat français à Lourdes, de congrès théologiques ou pastoraux, nous ne pouvons les imaginer sans la présence, mieux, la participation d'observateurs, auxquels, souvent, on demandera d'exprimer sans ménagement leur interpellation critique. Narrant la célébration du 4 décembre 1965 avec les observateurs à Saint-Paul-hors-les-murs, et citant quelques paroles sorties du cœur profond de Paul VI à cette occasion, nous écrivions, le 10 décembre, dans notre Chronique des *Informations Catholiques Internationales* : « Elles (ces paroles) signifient que l'Église catholique est définitivement entrée dans la vie de l'œcuménisme, qui commence au moment où l'on admet de ne plus penser et vivre comme si les autres n'existaient pas, mais d'avoir quelque chose à faire avec eux, en vue du jour encore lointain où nous pourrons enfin communier pleinement au même pain de la vérité et du corps du Seigneur ».

Chapitre VIII

LES LENDEMAINS DE CONCILES *

Vatican II a suscité un intérêt nouveau pour la forme conciliaire de la vie ecclésiale, même en dehors de l'Église catholique. Ainsi le Conseil œcuménique parle beaucoup de conciliarité. Nous sortons d'une vision de l'Église qui tenait par ses propres structures. Dans un monde global sécularisé, largement non croyant, mais plein de recherches et de mouvements, nous voyons davantage l'Église comme se réalisant à partir d'initiatives, de convictions personnelles qui se veulent responsables et actives. Tous ont des dons, tous sont appelés à les mettre au service du Christ et des hommes. Mais cela appelle échanges, concertation, mise en commun. Les personnes, les petites équipes veulent être en communion les unes avec les autres. Les églises particulières ne sont « catholiques » que dans la communion des autres, en tenant compte d'elles, en échangeant et en se concertant avec elles. Ces deux traits, qui se correspondent, marquent la vie de l'Église aujourd'hui : non passivité mais initiative des parties, mise en commun et concertation. Les fidèles, les communautés veulent vivre, non en entrant plus ou moins passivement dans un cadre tout fait, mais en harmonisant leurs initiatives dans une communion.

---

* A l'occasion du dixième anniversaire du Concile.

CONCILES ET « RÉCEPTION »

Pourtant, il y a et il y aura toujours des déterminations qu'on ne se donne pas à soi-même mais qu'on reçoit : soit tout à fait d'ailleurs — par exemple, les peuples germaniques ont « reçu » le droit romain —, soit d'une autorité qui représente comme la tête commandant au corps dont on fait partie. C'est comme cela que le Corps de l'Église a à « recevoir » les déterminations doctrinales ou disciplinaires d'un concile. C'est là où se situe ce qu'on appelle la « réception ». De fait, diverses études consacrées ces dernières années aux conciles et à la conciliarité, en particulier dans le cadre du Conseil œcuménique, parlent aussi de la « réception ». On peut définir celle-ci comme le processus par lequel un corps (ecclésial) fait sienne en vérité une détermination qu'il ne s'est pas donnée à lui-même, en reconnaissant, dans la mesure promulguée, une règle qui convient à sa vie.

C'est un fait, un grand nombre de conciles ont été suivis d'une assez longue période, soit de discussions et de troubles sur le point même de doctrine qu'ils avaient dirimé, soit de non-application ou de l'application hésitante et longue. Nicée (325) a été suivi de 56 ans de démêlés ponctués de synodes, d'excommunications, d'exils (saint Hilaire), d'interventions et de violences impériales. Chalcédoine (451) a exigé bien des explications et des précisions. Le monophysisme, qu'il avait condamné, a resurgi sous la forme du monothélisme, condamné seulement en 649 (Rome) et 681 (Constantinople III). On a même montré que l'iconoclasme est la dernière des hérésies christologiques : condamnation par le 2e Concile de Nicée (787), le dernier qui nous soit commun avec l'Orient orthodoxe.

Mais pour plusieurs conciles, il y a eu aussi non-réception par une partie de l'Église, pour des raisons où le sentiment national ou la politique jouaient un grand rôle : Éphèse (431) est refusé par les Nestoriens, Chalcédoine par les Monophysites (Égypte, Abyssinie ; on reconnaît aujourd'hui qu'ils ont refusé le concile de l'empereur byzantin mais que leur christologie n'est pas hérétique, ainsi qu'en témoignent leurs récentes professions de foi). Nicée II a été rejeté par Charlemagne et son Concile de Francfort (794) ce contre quoi s'est élevé le pape Hadrien 1er.

Trente n'a évidemment pas été reçu par les protestants et les anglicans. Vatican I a été dénoncé par Döllinger et par les Vieux-catholiques.

Le cas du Concile de Trente est significatif. Immédiatement reçu en Espagne, il ne l'a été en France que progressivement, du moins pour ses décrets disciplinaires : d'abord par des synodes provinciaux (Besançon 1571, etc.) puis en 1615 par l'Assemblée du Clergé à Paris. Mais tandis que saint Charles Borromée, qui avait participé au Concile, fonda de suite un séminaire, les guerres de religion et d'autres causes ont retardé chez nous des initiatives semblables : un vrai séminaire ne date guère que de 1635 (Les Bons-Enfants, de saint Vincent de Paul) et 1642 (M. Olier, Saint-Sulpice).

Le cas est intéressant car il montre un lien étroit entre la réception d'un concile et son efficacité, laquelle est liée à la reconnaissance de son bien par une Église. Ce fait, qui touche au fond de la réalité « réception » peut être illustré par un autre fait, contemporain celui-là et d'une très grande importance : l'accueil fait à l'encyclique *Humanae vitae* (1968). On peut, avec le Père Sesboüé (*Nouv. Rev. théol.*, avril 1971), dire qu'il y a eu à la fois réception et non-réception ; ou mieux, qu'on se trouve dans un processus non achevé au terme duquel quelque chose sera reçu, mais d'autres éléments oubliés, ou précisés de telle manière que, sous une formulation renouvelée, ils pourront être reçus. Que s'est-il passé ? L'Église — et pas seulement les fidèles concernés quasi journellement par la question, mais des prêtres, des théologiens, des évêques — n'a pas reconnu son bien dans le document tel quel.

C'est qu'une autorité, même estimée compétente en la matière, ne détermine pas seule une règle de vérité et de bien pour l'Église. Quand on réfléchit aux critères aptes à normer la vie de l'Église, on voit qu'il faut en conjuguer trois dont aucun n'est totalement autonome à l'égard des autres : le donné objectif de Révélation (attesté par les Écritures) et de Tradition profonde ; le « magistère » pastoral, dont la première fonction est de témoigner du sens de la confession apostolique ; le sens et l'expérience des fidèles, et en la fidélité de qui agit et parle aussi le Saint-Esprit.

DES FAITS

Il nous faut quitter l'idée — si elle a eu sa place dans notre esprit — selon laquelle le corps des prêtres et des fidèles, ce qu'on appelle depuis le début du XVIIIe siècle « l'Église enseignée », serait comme une matière passive à laquelle clercs, théologiens, « Église enseignante », imposeraient une forme. Toute la vie, tout le dynamisme tendant à déterminer les formes de croyance, de dévotion, de comportement, ne sont pas du seul côté de l'autorité. Mais cela est vrai même dans l'obéissance, et plus encore dans l'éducation. Obéir n'est pas seulement obtempérer, mais coopérer. « Perinde ac cadaver » ? Il n'y a rien de moins obéissant qu'un cadavre !

De plus, on n'a pas affaire à des hommes hors de tout contexte d'histoire, de culture, de vie sociale, d'évolution des idées et du sens même des termes. D'une époque à l'autre, d'un espace culturel à l'autre, tout cela change à quelque degré : l'histoire des débats trinitaires et christologiques le montre. A notre époque, les difficultés de « substance » (pour l'Eucharistie) ou de « nature » (*Humanae vitae*) l'illustrent. Une même doctrine ne dit pas exactement la même chose dans la vie ici et là ; on le voit par le dogme iconophile de Nicée II : il est commun à l'Orient et à l'Occident catholique, mais le sens et la pratique du culte des images sont assez différents.

Tout cela n'explique pas seulement des difficultés de « réception », mais le fait des « re-réceptions ». Prenons un exemple ; le développement actuel, très intéressant, des études christologiques (on part beaucoup plus de Jésus-homme, questions sur la science du Christ, etc.) amène à une nouvelle réception de Chalcédoine : non seulement de la part des « pré-chalcédoniens » (soi-disant Monphysites) mais de la part des théologiens catholiques que ne satisfait pas totalement la formule si forte, si belle, mais simple de Chalcédoine. Autre exemple : il doit y avoir une « re-réception » de Vatican I. Car Vatican I a été conditionné d'une façon étroite par la conjoncture de l'époque : d'un côté philosophisme des lumières, incroyance qui devenait un fait social, tentatives maladroites de philosophes catholiques ; d'où la Constitution *Dei Filius* sur foi et raison ; d'un autre côté, après les révolutions, la montée démocratique et ouvrière, hantise d'une réaffirmation de l'autorité : d'où la constitution *Pastor aeternus*. Aussi sent-on la nécessité d'interpréter historiquement Vatican I, d'en reconnaître le caractère trop unilatéral et donc de rééquilibrer (Paul VI l'a reconnu). Cela a été d'une certaine façon le fait de Vatican II, qui a cherché à équilibrer le dogme papal unilatéral de 1870 ; mais le progrès de l'œcuménisme, le dialogue avec l'Orient, une meilleure connaissance de l'histoire, un changement général de climat socioculturel, les questions mêmes posées par H. Küng qui, après débats et réflexion, apparaissent plus réelles que lors du premier choc, etc. : tout cela nous met dans l'obligation d'une relecture critique et d'une « re-réception » du dogme de 1870. L'Église, dans sa grande généralité, y a reconnu alors son bien. Comment l'y reconnaîtra-t-elle dans les conditions où elle est appelée à vivre ?

Ce sont là des questions délicates. Il y a une certaine historicité des formules de la vérité. La vérité elle-même est absolue. Mais ses approches et ses formulations comportent une part de relativité. Et surtout, tout se déroule dans le temps. Il faut absolument : 1/ chercher à avoir le sens historique et même, s'il se peut, une certaine culture historique ; 2/ compter avec le temps, avoir le sens des délais nécessaires pour comprendre, développer, appliquer, mûrir. Nous ne sommes qu'un moment d'affleurement à l'actualité d'une longue et profonde histoire qui a commencé avant nous et continuera après nous !

La réception de Vatican II

Certains documents du Concile ont vraiment passé dans la vie de l'Église, au moins en nos pays : la constitution sur la liturgie, continuée par le Consilium romain et autres organismes ; nombre de paroisses et de communautés ont une liturgie vivante : les messes télévisées du dimanche en témoignent. Le décret sur l'œcuménisme, continué par le Secrétariat, relayé par d'excellentes instances nationales, porté par l'immense vague que l'on sait ; mais, toujours valable, il appelle des développements ou plutôt des applications nouvelles. *Lumen Gentium*, à cela près que la collégialité ne peut guère se mettre en place et même préciser ses structures que par la pratique et que la théologie des églises locales, qui y est ébauchée, demande des élaborations nouvelles. *Gaudium et spes*, pris comme base et point de départ d'un engagement et d'une praxis rénovés dans le service chrétien du monde.

Qu'est-ce qui est moins passé dans les esprits et dans l'usage ? *Dei Verbum* est trop oublié. Les documents officiels sont peu bibliques. Ils présentent souvent une bonne sagesse humaine moyenne et ne partent guère du positif biblico-évangélique. Quelques citations bibliques ne suffiraient pas ! C'est une question de penser dans le fil du mystère chrétien et de la Révélation progressive, dont le développement historique même porte un sens. *Presbyterorum Ordinis* est plein de bonnes choses, mais a été bousculé par la radicalité des questions posées depuis : il est d'**avant** la crise du ministère et le resurgissement des ministères.

Reste le dynamisme du Concile. Refusé par les uns, invoqué par d'autres un peu pour tout et n'importe quoi, il existe vraiment. C'est un point qu'il serait intéressant d'exprimer, en donnant quelques principes de discernement. Tous les conciles ont eu un avenir et ont agi lentement, mais longtemps, sur les esprits et la vie de l'Église.

— Latran IV (1215) a rayonné sur tout le XIIIe siècle (voir le beau volume de Mlle R. Foreville dans la collection des Conciles œcuméniques de G. Dumeige) par ses canons, qui sont passés dans le recueil des Décrétales de Grégoire IX, par ses deux premiers chapitres, qui ont été une base et un test de connaissance théologique pour les prêtres, par sa législation ordonnant la tenue régulière de synodes diocésains. M.J. Gaudemet a signalé, pour la France, au moins 90 conciles notables tenus au XIIIe siècle...

— Trente a conditionné le catholicisme pendant trois siècles, soit qu'il ait réaffirmé la doctrine catholique reçue en face de la Réforme, soit parce que son élan a été puissamment relayé par la Compagnie de Jésus, soit par les créations programmées par lui et mises en œuvre par la papauté (Index, catéchisme, réformes, profession de foi de Pie IV, Missel de Pie V...), soit enfin par la création ultérieure des Congrégations romaines, instruments d'une centralisation qui ne produira tous ses effets que dans la Restauration catholique du XIXe siècle, après la Révolution et Napoléon, après la victoire sur l'épiscopalisme et le gallicanisme...

— Vatican I a dominé la vie catholique jusqu'à Vatican II, soit depuis la Constitution *Aeterni Patris* dans l'enseignement des clercs (révélation, surnaturel, raison-foi, apologétique), soit, depuis la Constitution *Pastor aeternus*, dans la vie concrète de l'Église et l'ecclésiologie (infaillibilité, autorité papale et centralisation, encycliques, rôle des collèges romains...).

Il est donc certain, au moins bien probable, que Vatican II conditionnera la vie de l'Église pendant longtemps. C'est qu'un concile incorpore une grande densité de fidélité et de sagesse venant de l'Église entière ; il est un événement de type pentecostal ; « cum essent omnes congregati in unum » (Jean XXIII a parlé de Vatican II en ces termes), une visite de l'Esprit-Saint... L'exemple des conciles précédents montre que, ce qui agit le plus sont :

1. les règles juridiques et les structures mises en place : à cet égard, une grande attention doit être portée au droit canonique (y compris le *jus condendum*), au projet de *Lex Ecclesiae fundamentalis* (bien discutable à notre avis), aux cinq « Secrétariats » qui sont à Rome des organes de contact et de dialogue, au Synode des évêques, aux structures d'organisation des épiscopats nationaux... ;
2. la doctrine et ses grandes orientations. *Lumen Gentium* : peuple de Dieu, fondement sacramentel de l'existence chrétienne, Église-sacrement du salut, collégialité, appel à la sainteté... etc. Un des éléments du dynamisme de Vatican II est d'avoir réouvert le chapitre de la vie conciliaire de l'Église : c'est gros de beaucoup de choses. Et cela dépasse l'Église : partout on parle de conciliarité et de conciles, comme de « collégialité » (souvent prise en une acception excessivement large)...

Étant donné que l'Église « reçoit » *ce en quoi elle trouve son bien*, il faudrait détecter les grands apports et les grandes valeurs de Vatican II. Où le peuple de Dieu a-t-il montré trouver son bien et où pourrait-il, pensons-nous, le trouver ? Cela pourrait être une sorte de critère pour une « relance » de Vatican II. Éviter, en tout cas, un discours purement ecclésiocentré, quelque peu clérical et triomphaliste.

Condition particulière de Vatican II

Nicée, Chalcédoine ont été des conciles dogmatiques. Ils ont d'ailleurs promulgué des canons disciplinaires. Vatican II a voulu être un concile pastoral, ce qui, du reste, supposait qu'il fût fondamentalement doctrinal, et il l'a été. Dans la mesure où il a été pastoral, il doit s'achever dans les églises locales, car les besoins, les ressources et les conjonctures sont divers et locaux. C'est là un fait de la nécessité et de l'urgence duquel on se rend mieux compte aujourd'hui. Les textes préparés par les épiscopats d'Afrique ou d'Asie et d'Extrême-Orient pour le « Synode des évêques » de 1974, ce Synode lui-même, le montrent. On doit reconnaître une zone d'adaptation et même de créativité en matière d'expression cultuelle, voire de discipline et de formulation doctrinale, qui réponde aux requêtes et aux ressources des différents espaces humains et culturels. Notre tradition latine ne nous y a guère préparés, mais c'est une question vitale. C'est probablement aussi pour cela qu'il s'est tenu nombre de synodes diocésains ou nationaux depuis le Concile. Peut-être eût-il été bon qu'il s'en tînt **avant** ; cela eût donné un autre visage au Concile et sans doute rendu moins brutale la crise qui l'a suivi. Mais c'était pratiquement impossible (Vatican I avait été précédé d'un assez grand nombre de synodes diocésains ou provinciaux, parfois de « conciles pléniers »).

Cependant Vatican II a été accompagné et surtout suivi par une mutation socioculturelle dont l'ampleur, la radicalité, la rapidité, le caractère cosmique n'ont d'équivalent à aucune autre époque de l'histoire. Le Concile a senti la mutation (cf. L'introduction de *Gaudium et spes*), mais n'en a pas connu tous les aspects ni la violence. Nombre de questions ont surgi depuis dix ans, que le Concile n'a pas connues, ou tout juste soupçonnées : écroulement du crédit de la métaphysique, fièvre d'herméneutisme, triomphe des méthodes critiques, développement envahissant des « sciences humaines », possibilités de manipulation de l'homme, révolte d'une jeunesse qui constitue un monde semi-autonome, montée des femmes dans la vie sociale et le domaine de l'intiative, sécularisation radicale, urbanisation galopante, rupture avec les expressions classiques de la doctrine, crise du « magistère », inintérêt de beaucoup, même chez les clercs, pour ce qui est d'Église et accaparemment par les choses terrestres, invasion par la politique et par les catégories marxistes... D'autre part, l'œcuménisme a profondément modifié bien des façons de sentir et d'agir. Le spécifique confessionnel catholique recule devant le « chrétien », quand ce n'est pas devant les attitudes assez protestantes... On ne demande pas à un homme s'il est validement ordonné, mais s'il vit évangéliquement et sert vraiment les hommes.

Bref, il serait vain de se contenter de réaffirmer, d'exploiter et d'appliquer Vatican II. Là gît un aspect du drame de certains esprits qui ont préparé Vatican II. Ils avaient été formés sous Pie XI et Pie XII, dans une Église au repos et, s'ils ouvraient vers les autres, c'était à partir de cette Église-là. On ne peut pas chercher une « relance » de Vatican II sans reconnaître qu'à certains égards nous sommes au-delà et que le Concile, tout riche et fécond qu'il soit, ne peut être traité seulement comme un point d'arrivée, un vaste magasin qu'il suffirait d'exploiter. Il faut donc, tout en nous donnant le temps de digérer Vatican II (un Vatican III ou un Jérusalem II ? Pas si vite !!!), savoir qu'il faut autre chose encore. La « relance » de Vatican II demande qu'on en explique encore les apports et la richesse, mais elle comporte aussi de suivre son dynamisme. Elle ne peut être purement commémorative, rétrospective ou répétitive. La tradition est création en même temps que transmission et référence. C'est alors une tâche onéreuse, mais payante, d'information, d'ouverture, d'étude, d'écoute et de dialogue, qui s'impose à nous. Et sans doute une ré-actualisation de ce qui a fait la richesse du travail conciliaire, la collaboration entre pasteurs et théologiens, en laquelle les uns et les autres reçoivent quelque chose.

Chapitre IX

RICHESSE ET VÉRITÉ D'UNE VISION DE L'ÉGLISE COMME « PEUPLE DE DIEU »

Dans le déroulement et le travail du Concile Vatican II, une des initiatives les plus décisives, les plus chargées d'avenir, a été l'introduction entre le chapitre I de la constitution dogmatique *Lumen Gentium* et son chapitre III consacré à la hiérarchie ecclésiastique, d'un chapitre « Du Peuple de Dieu ». Cette initiative avait été préparée par des études sérieuses d'exégèse, de patrologie, de théologie, parues surtout en Allemagne, mais aussi en Belgique (L. Cerfaux, 1942). C'est le cardinal Suenens qui, à la Commission de coordination dont les interventions, encore très peu connues, semblent avoir été importantes, a demandé la rédaction et l'insertion du nouveau chapitre « Du peuple de Dieu ». Son insertion entre le rattachement de l'Église au mystère et au projet de Dieu et l'exposé sur la hiérarchie (collégialité, papauté, épiscopat, presbytérat, diaconat) n'a pas été de soi. Elle a été discutée à la Commission théologique du Concile. L'enjeu était important et s'est révélé de grande conséquence depuis lors. Il ne s'agissait pas seulement, en effet, d'exposer ce qui est commun à tous les membres de l'Église au plan de la dignité de l'existence chrétienne antérieurement à toute distinction d'office ou d'état de vie, ce qui est de bonne méthode ; il s'agissait de donner priorité et primauté à ce qui relève de l'être chrétien, avec ses responsabilités de louange, de service et de témoignage, à l'égard de ce qui est organisation, fût-ce d'origine apostolique et divine.

Les mots ont leur densité et leur fécondité propres. On n'emploie pas impunément tel concept ou telle expression. « Peuple de Dieu » a parlé tout de suite aux hommes, croyants et marginaux du christianisme. Le terme avait un dynamisme et répondait à une attente. Il était pris du vocabulaire de ce dont les hommes ont une expérience. Ce fait, de soi heureux, présentait bien un risque : on pouvait prendre « peuple » au sens général et ordinaire du terme et y lire les attributs communs d'un peuple. C'est là une démarche légitime bien que théologiquement insuffisante. C'est celle qu'on trouve, par exemple dans le Mémoire adressé par les Silencieux de l'Église aux évêques de France [1]. Cela donne cette intéressante et valable énumération :

> Qui dit peuple dit *multitude :* c'est donc à tous les hommes que la Bonne Nouvelle doit être annoncée...
> Qui dit peuple dit *diversité, pluralité des vocations et des engagements :* ceci exclut toute conception de l'Église qui diviserait les chrétiens en fonction de critères d'âge, de sexe, de classe sociale ou d'opinions politiques.
> Qui dit peuple dit *passé, partage, tradition, patrimoine...*
> Qui dit peuple dit *institutions*, sinon le peuple se dégrade et se disperse...
> Qui dit peuple dit *communauté de destin, mission commune :* ceci exclut toute conception de l'Église qui conduirait les catholiques à oublier ou à méconnaître ce qui fait d'eux des catholiques, même dans un but d'œcuménisme.
> Qui dit peuple dit *élan vers l'avenir...*
> Toutefois l'Église n'est pas semblable aux peuples de la terre (...)
> L'Église n'est pas une réalité humaine qui dépend de la volonté de ses membres, selon les normes du monde.

« Peuple de Dieu »

Nous verrons en effet ce que cela signifie que ce peuple soit « peuple *de Dieu* », mais il nous faut auparavant signaler une interprétation qu'il est d'autant plus nécessaire de critiquer

1. A la suite de leur assemblée des 7-8 novembre 1970 à Versailles : cf. *Documentation catholique*, t. LXVIII (1971), p. 149. Nous abrégeons la citation là où le sens va de soi.

qu'elle est largement répandue. On parle comme si « peuple de Dieu » désignait les fidèles distingués et séparés de leurs pasteurs, sinon même en tension avec eux : « C'est nous le peuple de Dieu, vous n'avez rien à dire... » Il arrive même qu'on glisse de « peuple de Dieu » à « peuple » au sens des plus petits, des sans droits ni parole, bref du « populaire ». L'intention peut être infiniment respectable, surtout quand cela vient d'hommes qui ont payé le prix d'un engagement de vie authentique avec les pauvres [2]. Il est bien vrai que les pauvres ont un titre de choix à être comptés dans le peuple de Dieu, ils en sont comme la clientèle privilégiée, mais si nous devons les retrouver plus loin, il nous faut d'abord considérer le peuple de Dieu dans toute sa généralité.

Peuple *de Dieu*, « l'Israël de Dieu » (Ga 6, 16). Comme des fils de roi, nous trouvons à notre berceau les titres de noblesse les plus sublimes, afin que Dieu manifeste « la richesse de sa gloire envers des vases de miséricordes qu'il a d'avance préparés pour la gloire, envers nous qu'il a appelés non seulement d'entre les Juifs mais encore d'entre les païens. C'est ce qu'il dit en Osée : J'appellerai mon peuple *celui qui n'était pas mon peuple et bien-aimée celle qu'il n'était pas la bien-aimée* [3] ». La formation d'un peuple de Dieu vient d'abord d'un acte de Dieu qui élit et qui appelle, d'une élection et d'un appel faits d'abord d'un seul pour beaucoup : Abraham (Gen 12, 1-2), Jésus-Christ (Rom 8, 29-30). C'est une constante de l'action de Dieu, que W. Vischer a heureusement appelée « *pars pro toto* », un pour beaucoup, des prémices pour toute une moisson. L'élection, dans la Bible, ne vise pas à produire une élite, bien que les mots soient apparentés.

2. C'est dans cet esprit que nous citerons ici les paroles suivantes de Don Mazzi à l'assemblée des prêtres contestataires, à Rome, en septembre 1969 : « Annoncer cette nouvelle alliance, annoncer la naissance de ce nouveau Peuple de Dieu, l'annoncer dans les faits avant les paroles, nous allier nous-mêmes avec le peuple, les plus petits de chaque pays du monde entier, nous mettre avec le peuple sous les coups du Pouvoir, même ecclésiastique, plutôt que de perdre beaucoup de temps sur ce que doit faire l'institution cléricale, nous vous demandons de consacrer vos énergies à regarder ce que fait le peuple. Mettons-nous d'urgence à la recherche d'expériences vivantes, conduites par la base du peuple de Dieu, mettons-nous à leur service en annonçant ainsi que dans de telles expériences vivantes est présent l'Esprit du Christ qui crée continuellement son Église » (Cité dans *La Lettre*, n° 143-144, juin-juillet 1970, p. 6).

3. Rom 9, 24-25 ; Os 2, 25. Comp. 1 P 2, 10.

Elle est toujours pour une mission au bénéfice d'un grand nombre. Le peuple de Dieu est un peuple-témoin, appelé à « sanctifier le nom », c'est-à-dire, comme le porte la traduction œcuménique de Mat 6, 9 « fais-toi reconnaître comme Dieu ». Le peuple de Dieu est voué à faire que Dieu soit Dieu, non, bien sûr en lui-même, car cela est infailliblement assuré, mais en nous et dans le monde. C'est en ce sens que le mot de Rabbi Siméon Ben Yohai a sa vérité profonde, qui fait dire à Dieu « Si vous êtes mes témoins, je suis Dieu[4] » !

Aussi tout le peuple de Dieu est consacré. Il est mis en l'appartenance de Dieu ; « Ils seront mon peuple et je serai leur Dieu » (plus d'une quinzaine de textes), c'est comme une appartenance mutuelle que l'Écriture, à partir d'Osée, compare à un mariage. C'est une alliance, un engagement réciproque de vie et de fidélité. On peut en donner une traduction très sublime : « Si vous observez mon alliance, je vous tiendrai pour un royaume de prêtres et une nation consacrée » (Ex 19, 5-6), déclaration transférée aux baptisés en Jésus-Christ : « Vous êtes une race élue, un sacerdoce royal, une nation sainte, un peuple acquis... » (1 Pi 2, 9). Le Concile a repris l'application traditionnelle au peuple de Dieu d'une participation corporative à la dignité et aux fonctions de son Chef : prophète, roi, prêtre...

Un peuple pris de tous les autres

On peut aussi donner, de cette vision des fidèles comme peuple de Dieu, une traduction vulgarisée et descriptive. Nous dirons alors qu'au milieu de tous les peuples de la terre, Dieu se rassemble, par Jésus et par le Saint-Esprit, un peuple qui soit à lui. Pas seulement du milieu des peuples au sens ethnographique ou politique du mot — à cet égard, la foi et la charité transcendant toutes les différences, ne détruisent aucun lien naturel valable ; elles assument, au contraire, purifient et élèvent toutes les valeurs authentiques —, mais du milieu de n'importe

4. Cité par J. Bonsirven, « Judaïsme palestinien », in *Dictionnaire de la Bible, Suppl.*, t. IV, col. 1171.

quelle population : celle de mon village, de mon immeuble, du train dans lequel j'ai pris place, de l'hôpital où je séjourne... Les divers dieux humains se recrutent chacun son peuple qui les serve ; Mercure, dieu du commerce, Mars, dieu de la guerre et de la force, Vénus, déesse de l'amour, qui a non seulement ses fidèles, mais ses temples, ses hétaïres et ses hiérodules... Le Dieu vivant recrute aussi son peuple, tant par l'annonce de l'Évangile où il s'est révélé en son Fils Jésus-Christ, que par l'action secrète de son Esprit : un peuple saint dont la loi est l'amour qui donne humblement. Ce peuple se recrute parmi les femmes et les hommes, les ouvriers et les cadres, les Barbares et les Grecs. On ne soupçonne pas toujours que telle personne rencontrée par hasard ou habituellement en est... Mais, en son noyau formel et désignable, ce peuple a sa loi d'amour, ses assemblées, sa hiérarchie, ses rites et ses usages. C'est l'Église. C'est un peuple structuré car « Dieu n'est pas un Dieu de désordre, mais de paix » (1 Cor 14, 33). Si tous les membres y sont actifs, si même, d'une certaine façon tous font tout, ce n'est ni au même titre ni de la même manière. Pour emprunter un exemple à des propos que nous avons entendus plusieurs fois, nous dirons : toute l'assemblée liturgique est célébrante et même consacrante [5], mais ce serait une erreur ecclésiologique et une hérésie liturgique de faire dire les paroles de la consécration eucharistique par toute l'assemblée. Elle a son « président », qui y fonctionne comme président. Et cependant elle est tout entière sacerdotale et célébrante.

Il reste que la notion de peuple de Dieu permet de dépasser, en en assumant pourtant la vérité, ce que la distinction entre clergé et laïcs avait de trop schématique et par conséquent de dissociant quand on la posait en premier lieu dans le cadre d'une définition de l'Église comme « *societas inaequalis, hierarchica* », société hiérarchisée excluant l'égalité. C'était la perspective classique et, même quand on la dépassait, on en demeurait quelque peu prisonnier, comme c'est, nous le reconnaissons, le cas de nos

5. Voir les témoignages et explications que nous avons donnés dans « L'"Ecclesia" ou communauté chrétienne sujet intégral de l'action liturgique », in *La Liturgie après Vatican II* (Unam Sanctam 66), Paris, 1967, p. 241-282.

Jalons pour une théologie du laïcat de 1953[6]. La notion de peuple de Dieu telle qu'on la tire des saintes Écritures permet d'affirmer *à la fois* l'égalité de tous les baptisés dans la dignité de l'existence chrétienne qualifiée comme sacerdotale, royale et prophétique, et la diversité des services ou offices qui entraîne, sous l'angle fonctionnel, une inégalité. Grâce à Dieu, un grand nombre de « laïcs », aujourd'hui, ont conscience du fait que l'Église est *leur* affaire et qu'ils en sont aussi responsables : « *Nostra res agitur !* » *Les Quatre Fleuves* en sont, à leur plan et dans le domaine d'une saine « gnose », un heureux témoignage. L'assemblée plénière des évêques de France en 1973 à Lourdes a fixé sa réflexion sur cette responsabilité différenciée de tous dans une Église-peuple de Dieu convoquée pour la louange, le service et la mission. Elle y a situé l'indispensable fonction du prêtre sacramentellement ordonné[7]. Mais celle-ci ne répond-elle pas à ce qu'écrivait saint Paul : « Organiser les saints (= les baptisés) pour l'œuvre du ministère (qui relève d'eux tous et qui est) en vue de la construction du Corps du Christ » (Eph 4, 12) ?

Dans l'histoire. Dans l'itinéraire des hommes

Certes la notion de Corps du Christ, l'image de l'édifice en construction traduisaient déjà des valeurs dynamiques. Mais le concept de peuple de Dieu se prête remarquablement à voir l'Église *dans l'histoire*. Il est lui-même pris de l'histoire du salut, ou plutôt de sa révélation consignée dans les Écritures. Une fois de plus on peut compléter une vision naguère assez statique et juridique par des valeurs vitales et dynamiques. Le Congrès mondial pour l'apostolat des laïcs tenu à Rome en octobre 1967 avait pour thème général « Le peuple de Dieu dans l'itinéraire des hommes ». Cela exprimait une idée de cheminement, et cela

---

6. Voir à ce sujet Paul Guilmot, *Fin d'une Église cléricale ?* Paris, Cerf, 1969, et notre propre « *retractatio* », « Mon cheminement dans la théologie des ministères et du laïcat », in *Ministères et Communion ecclésiale*, Paris, Cerf, 1971, p. 9-30.

7. Voir *Tous responsables dans l'Église ?* Le ministère presbytéral dans l'Église tout entière « ministérielle », Lourdes, 1973, Paris, Centurion, 1973.

dans l'histoire globale du monde, ce qui comporte au moins les trois grandes valeurs suivantes :

1. Celle de marche et donc de progression *vers* un terme. C'est toute la notion judéo-chrétienne et biblique d'histoire qui se trouve là. Comme Grégoire de Nysse l'a dit magnifiquement, elle va « de commencement en commencement, par des commencements qui n'ont pas de fin [8] ». Elle obéit à un régime de prémices et de fructification, de promesse et d'accomplissement. Elle va à un terme qui n'est pas seulement celui de l'Église mais, avec elle et largement par elle, celui du cosmos tout entier : ce que nous appelons l'eschatologie, le Royaume de Dieu. C'est l'objet d'une espérance incomparable. Il n'en est pas de description plus immensément profonde que celle de saint Paul en Rom 8, 19-25 et 1 Cor 15, 24-28. Cette espérance d'un avenir absolu dans lequel les âmes habitées par l'Esprit entraîneront la création éveille, en même temps que la volonté d'y tendre, la conscience d'une marge parfois scandaleuse entre nos réalisations et ce à quoi nous tendons. De sorte que, comme l'ont bien dégagé J. Moltmann et J.B. Metz, la destinée eschatologique du peuple de Dieu l'oblige à travailler à la réalisation d'un monde conforme à Dieu, c'est-à-dire ami de l'homme, juste et fraternel, et fonde la critique d'une Église et d'un monde qui ne sont pas conformes à Dieu. Toujours les réformes, pour l'Église, les révolutions, pour le monde, ont été inspirées par le sentiment aigu d'une inadéquation parfois dramatique entre l'état des choses et ce qu'elles pourraient et donc devraient être.

2. D'être en marche dans l'itinéraire des hommes affecte l'Église comme peuple de Dieu d'une note d'historicité. Ce peuple vit dans l'histoire. Il n'est pas voué à l'évanescence des choses qui ne sont que temporelles parce que, sans avoir une hypostase au-dessus de ses institutions et de ses membres concrets, il possède, dans le dessein efficace de Dieu, un principe transcendant absolument ferme d'existence, de permanence,

8. *Homil. VIII in Cant.* (P.G., 44, 941 C).

d'indéfectibilité[9]. Mais cette assurance qu'il a dans le ciel n'empêche pas le peuple de Dieu de vivre ici-bas, sur la terre, historiquement. C'est dire qu'il est soumis au relatif, aux imperfections, crises, découvertes, événements et croissances de l'humanité historique. Après avoir écrit l'*Esprit et l'Épouse* (Londres, 1935 ; trad. française Paris, 1947), où il montrait l'Église comme Épouse toute pure du Seigneur de gloire, en l'absolu de sa vie surnaturelle, Dom Anschaire Vonier avait donné *le Peuple de Dieu* (Londres, 1937 ; trad. française Lyon, 1943) dans lequel il évoquait l'aspect humain et historique de cette Église. Pour lui, « Église » disait l'aspect sacramentaire et cultuel, « peuple de Dieu » l'élément de vie totale de Dieu dans l'humanité. Mais c'est le peuple de Dieu qui est Église, et c'est l'Église qui est peuple de Dieu. Dans cette unité duelle, on peut privilégier un des deux aspects. La vision de Vonier, monastique et liturgique, était un peu trop glorieuse. Nous verrons que, même du point de vue du culte, il y a autre chose à dire.

3. Ce n'était pas complètement une vision de l'Église *dans le monde*, dans l'itinéraire des hommes, Or il est devenu d'une urgente actualité de faire vivre l'Église dans un monde d'une densité de vie terrestre dont les siècles passés ne soupçonnaient pas la pression massive. Le Concile l'a sentie et il s'est converti à une perception nouvelle du temporel. Celle de la théologie classique était juridico-politique et ascétique. C'était d'un côté, la distinction et souvent le conflit entre les deux « pouvoirs », d'un autre côté l'opposition entre l'esprit du monde et l'esprit chrétien. Il y a certes quelque chose de toujours valable dans ces vues, mais au lieu de s'arrêter au « pouvoir civil » posé en face du Sacerdoce, le Concile a vu le temporel comme la totalité dynamique de l'œuvre humaine s'exerçant dans et sur le cosmos : recherche scientifique et technique, culture, entreprises de

9. J'ai critiqué l'idée de Jacques Maritain sur une subsistance personnelle de l'Église, et essayé de préciser ce qui y correspond : « La personne "Église", in *Revue thomiste* 7-(1971), 613-640. Sur l'union de l'historicité de l'Église à son caractère transcendant, quelques bonnes pages dans G. Martelet, *Les Idées maîtresses de Vatican II*, DDB, 1966, p. 65 s.

justice sociale, de développement et de paix [10]. Au Concile, cela s'est formulé encore dans le cadre d'un certain dualisme. On a parlé d'une Église *ad intra* et d'une Église *ad extra*. C'était une distribution pragmatique des tâches, mais qui a mené à la rédaction de deux constitutions, l'une, dogmatique, sur l'Église elle-même, *Lumen Gentium*, l'autre, « pastorale », sur l'Église dans le monde de ce temps, *Gaudium et Spes*. Cette distinction est aujourd'hui mise en question : l'*ad intra* et l'*ad extra* doivent être unis dans la vision d'une Église toute service et mission, bien qu'elle soit — et pour être pleinement service et mission ! — toute louange de Dieu et doxologie.

Impossible sécularisme

Cela mène à rechercher une « liturgie séculière », c'est-à-dire qui assume et exprime vers Dieu la vie réelle des hommes, et à dire que la mission doit comprendre le développement et la libération. Cela peut être compris d'une façon qui engloutisse excessivement le spirituel dans le séculier et où la réalité « monde » absorbe abusivement la réalité « Église [11] » : car une dualité demeure dans l'unité de vie historique et de terme final. C'est une monumentale question, que nous ne pouvons traiter, tout juste signaler, ici. Car il existe en un sens, unité d'histoire et de vie : c'est par les fidèles que l'Église se trouve vraiment où existe le monde. C'est dans l'histoire terrestre des hommes que le peuple de Dieu vit la sienne. Mais la sienne est irréductible aux

10. Voir à ce sujet G. Martelet, « L'Église et le temporel. Vers une nouvelle conception », in *l'Église de Vatican II*, publié sous la direction de G. Barauna (Unam Sanctam 51 b), Paris, Cerf, 1966, p. 517-539 ; Y. Congar, « Église et Monde dans la perspective de Vatican II », in *Vatican II. L'Église dans le monde de ce temps*, III (Unam Sanctam 65 C), Paris, 1967, p. 15-41. Le P. Martelet écrit, p. 518 : « Une Église qui rapporte le temporel à l'eschatologie et le spirituel au mystère total du Seigneur, et non pas avant tout à la hiérarchie, est une Église où les chrétiens peuvent se rapporter au monde en vertu de la catholicité spirituelle de leur foi. »

11. Nous critiquerions à cet égard, pour la liturgie, L. Maldonado, *Vers une liturgie sécuralisée* (Lex orandi 51), Paris, Cerf, 1971 et nombre d'autres publications ; pour la mission, L. Rütti, *Zur Theologie der Mission. Kritische Analysen und neue Orientierungen*, München-Mainz, 1972.

énergies créationnelles qui se déploient dans l'histoire des cultures, des sociétés et des empires. Elle découle d'interventions surnaturelles, historiques elles aussi, en même temps que supra-historiques, qui suscitent dans le monde des activités et une histoire de grâce. La finalité dernière est aussi unique, car le Royaume de Dieu doit confondre Église et Monde, englobant le naturel et le cosmique : c'est pourquoi l'Église, qui le prépare, doit l'ébaucher aussi dans les réalités de ce monde, mais ces réalités ne peuvent le procurer directement, même si elles en anticipent quelque chose dans tout enfantement de vérité, de justice, et fraternité, de paix, d'authentique santé et développements humains. Mais, encore une fois, ces quelques mots ne peuvent passer pour un traitement de la question. Ils étaient cependant indispensables au point où nous en sommes de ce modeste discours sur le peuple de Dieu.

Lumen Gentium, n° 9, appelle par deux fois ce peuple « messianique ». C'est dire qu'il porte une espérance pour le monde [12]. Nous n'en doutons pas, mais il faut savoir à quoi nous engage une telle ambition si elle veut être autre chose que vœu pieux et parole généreuse. Comme Église, nous prétendons, et à juste titre, apporter au monde *plus* que ce dont il a l'idée et les moyens. Il ne faudrait pas que ce « plus » soit ressenti comme un *moins*, notre espérance comme un « opium pour le peuple ». Encore une monumentale question, mais c'est au fond la même que la précédente. Elle urge seulement sur la nécessité que l'acte s'ajoute au discours. Nous comprenons mieux, aujourd'hui, et déjà nous réalisons mieux les exigences de ce programme. Alors qu'on a beaucoup misé sur les puissants et les riches, nous savons mieux aujourd'hui que l'espérance du monde est surtout portée et soulevée par les pauvres, par les masses pauvres [13]. Il ne faut ni trop idéaliser « les pauvres de Yahvé » dont A. Gelin nous a si

---

12. Nous publions cette année même *Un peuple messianique. L'Église sacrement du salut. Salut et libération* (Coll. « Cogitatio fidei »), Paris, Cerf. Dès 1949, J. GRAY publiait, dans *Masses Ouvrières* (n° 49, p. 18-31), « Le peuple de Dieu et l'Église ».

13. On se référera avec fruit à P. GANNE, *Le Pauvre et le Prophète*, Cultures et Foi, n° 28-29, été 1973, Lyon. Et on relira Père CHRISTIAN, *Les Pauvres à la porte*, Paris, Cerf, 1972.

profondément parlé, ni identifier sans plus la pauvreté évangélique avec une condition économique et sociale d'indigence. Mais ce qu'exprime le terme global de pauvreté a une mystérieuse et profonde consonance avec l'histoire du salut qui se réalise dans le peuple de Dieu. C'est un aspect de l'évangélisme de notre temps et de la grâce qui lui est faite, que de le savoir et de l'honorer.

Un peuple fait de femmes et d'hommes chrétiens

Cela relève aussi de cette reconstitution d'une anthropologie chrétienne qui accompagne l'ecclésiologie du peuple de Dieu. Une vision principalement juridique de l'Église comme institution n'assumait pas une anthropologie. L'Église, à la limite, eût existé sans des chrétiens. Par contre, la vision que les Pères avaient de l'Église, vision très riche sans qu'ils aient éprouvé le besoin de rédiger un traité *De Ecclesia*, incluait la vie des chrétiens. L'Église, pour eux, dit K. Delahaye, était « le Nous des chrétiens ». Aussi en exprimaient-ils la réalité en expliquant l'histoire des personnages bibliques, de ceux des paraboles ou des types prophétiques et apocalyptiques. L'Église, c'était Abraham, c'était Rahab, la courtisane de Jéricho, c'était Marie, c'était Zachée, c'était Madeleine, etc. : des histoires spirituelles dans lesquelles des libertés humaines avaient été appelées, au sens fort de ce mot, à passer du péché à la pureté — Marie n'étant que pureté — et à vivre le rapport religieux dans lequel la foi et l'amour nous mettent avec Dieu. Certes, la notion de « Corps mystique » se prêtait aussi à assumer l'anthropologie chrétienne. C'est dans son contexte que saint Paul a écrit ce texte qui exprime la charte d'une vie chrétienne : « Je vous exhorte à offrir vos personnes en hostie vivante, sainte, agréable à Dieu : c'est là le culte spirituel que vous avez à rendre. Et ne vous modelez pas sur le monde présent, mais que le renouvellement de votre jugement vous transforme et vous fasse discerner quelle est la volonté de

---

14. K. Delahaye, *Ecclesia Mater chez les Pères des trois premiers siècles*, préface de Y. Congar (Unam Sanctam 46), Paris, Cerf, 1964.

Dieu, ce qui est bon, ce qui lui plaît, ce qui est parfait » (Rom 12, 1-2). Ce texte est une des références majeures pour la notion de « sacrifice spirituel » qui constitue la pièce maîtresse d'une spiritualité du laïc, ou plus exactement du chrétien. Il s'agit de rapporter à Dieu et de lui offrir, non quelque exercice séparé de l'existence réelle, mais nos personnes vivantes, nos « corps », dit le texte originel, par quoi il faut entendre, en perspective biblique, nos existences concrètes engagées dans la vie terrestre. C'est une œuvre de tous les jours et de tous les instants. C'est le culte dont chacun est, pour soi, l'indispensable prêtre, encore qu'il y ait lieu, pour l'unir à celui, seul absolument valable, de Jésus-Christ, de le joindre à son sacrifice sacramentellement célébré. Oui, c'est le culte de la vie chrétienne, qui dépasse tout ritualisme. Encore une fois, on pourrait parfaitement le situer dans le cadre du Corps mystique. Nous verrons dans un instant que la notion de peuple de Dieu appelle celle de Corps du Christ pour avoir toute sa vérité ecclésiologique chrétienne. Mais celle de peuple de Dieu accueille mieux les aspects d'appel, de péché, de conversion, de cri lancé vers la miséricorde et le secours de Dieu. Nous sommes un peuple de pécheurs ; chaque fois que nous nous assemblons, nous sommes une assemblée de pécheurs, mais en voie de conversion, la sainte Église des pécheurs. Le concept de « Corps du Christ » se prête moins, de soi, à assumer ces aspects.

Peuple de Dieu et Corps du Christ

Ce concept de Corps du Christ est pourtant nécessaire pour exprimer la condition *chrétienne* du peuple de Dieu. Au fond, le concept de peuple de Dieu s'applique aussi bien au peuple juif, au moins avant la venue de Jésus. C'est même un de ses aspects intéressants : il se prête à exprimer la continuité entre l'Église et l'olivier franc dont parle saint Paul (Rom 11, 16-24). Nous avions souhaité, au Concile, qu'on insérât une déclaration sur les Juifs dans le chapitre « Du peuple de Dieu ». Cela n'a pas été possible pour plusieurs raisons. Cela eût d'ailleurs été difficile, car la clarté et l'unanimité ne sont pas faites sur une vision théologique concernant la situation d'Israël après la venue du Christ. Pour l'Église, par contre, c'est clair. Elle n'est pas seulement Israël qui aurait reçu et reconnu le Messie. Certes, Jésus est le Messie qu'il attendait, et il est « fils de David, fils d'Abraham » (Mat 1, 1 ; Lc 3, 31 et 34), mais il est « le Messie, le Fils du Dieu vivant » (Mat 16, 16). Il est le Fils de Dieu. Incorporés à lui, nous pouvons être fils avec lui, par grâce, entrer en la jouissance, à titre de cohéritiers, non plus d'une terre de cette création (cf. Gen 15, 1 s.), mais des biens patrimoniaux de Dieu lui-même (cf. Rom 8, 17). Si un seul monte au ciel, le Fils de l'Homme, qui est dans le ciel (Jn 3, 15), nous y montons avec lui, *en lui*.

On voit comment le programme même des promesses faites à Abraham à l'origine du peuple de Dieu, celle d'un héritage et celle d'un héritier, lorsqu'il se réalise par le Christ Fils de Dieu fait homme et devenu notre Chef, veut que le peuple de Dieu se constitue comme Corps du Christ, Fils et héritier de la vraie Terre promise. Qu'on entre dans le Corps du Christ par l'Esprit du Christ (cf. 1 Cor 12, 13), c'est l'accomplissement des promesses, car l'Esprit est appelé le Promis [15].

Les protestants aiment le titre de « peuple de Dieu » ; ils le préfereraient volontiers à « Corps du Christ ». Ils y trouvent plus facilement l'idée d'élection, d'appel : tout est suspendu à l'initiative de Dieu. Ils en aiment l'historicité, avec ce qu'elle entraîne de sens de l'incomplétude et de mouvement vers l'eschatologie. Ils voient volontiers, dans un franc usage de « peuple de Dieu », la possibilité d'éviter, d'un côté, l'institutionnalisme avec son accompagnement de « pouvoirs », et, d'un autre côté, le romantisme d'une conception biologique du Corps mystique pour laquelle on a souvent, chez nous, parlé d'« Incarnation continuée », comme si l'Église était, au pied de la lettre, « Jésus-Christ répandu et communiqué [16] ». Tous les protestants n'en sont pas là, mais certains redoutent une conception ontologique ou, comme dit Roger Mehl, « substantialiste » de l'Église. Lui attribuer une consistance définitivement établie, ne

15. Cf. Actes 1, 4 ; 2, 33, avec renvoi à Ez 36, 27 ; Jl 3, 1-2, que cite Pierre (Actes 2, 16 s.).
16. On connaît cette expression de Bossuet dans son admirable IVe Lettre à une demoiselle de Metz.

serait-ce pas la soustraire à la souveraineté de la Grâce qui, puisqu'elle élit, peut aussi rejeter ? Dans ces conditions, remarque U. Valeske, peut-on encore parler d'infaillibilité, d'irréformabilité même de la structure ?

Les orthodoxes, par contre, sont plus à l'aise avec le concept de Corps du Christ. Écrivant sur « peuple de Dieu », le Père Élie Melia définit l'Église « peuple de Dieu constitué en Corps du Christ dans la grâce du Saint-Esprit [17] » ; une formule à laquelle nous ne sommes pas seul à souscrire. Il s'agit en effet du peuple de Dieu dans la condition de nouvelle et éternelle alliance en le sang du Fils de Dieu et par le don eschatologique de son Esprit. Cette condition comporte ici-bas un *déjà* et un *pas encore* qu'il faut honorer tous les deux : le *pas encore* en reconnaissant une véritable historicité et que, comme le dit saint Augustin, l'Église a de quoi demander chaque jour « Pardonne-nous nos offenses [18] » ; le *déjà* en refusant qu'il soit obnubilé ou effacé par le *pas encore* et en confessant humblement les dons de Pâques et de Pentecôte. Comme le Concile l'a déclaré plusieurs fois [19], « Peuple de Dieu » appelle, en régime chrétien, le complément de « corps du Christ » et « Temple du Saint-Esprit », car l'Église est un « peuple qui tire son unité de l'unité du Père et du Fils et de l'Esprit-Saint [20] ».

---

17. Cf. J. Bosc, B. Dupuy, E. Melia, *Le Peuple de Dieu* (Églises en dialogue, 10), Mame, 1970.
18. *Retractationes* II, 18 (P.L., 32, 673B) et souvent.
19. *Presbyterorum Ordinis* n° 1 ; *Ad Gentes divinitus* n° 7, § 3 ; au fond, les chap. 1er de ce décret et de *Lumen Gentium*.
20. S. Cyprien, *De oratione dominica* 23 (P.L., 4, 555 ; CSEL, 3, 285) ; cité par *Lumen Gentium*, n° 4, § 2.

CHAPITRE X

D'UNE « ECCLÉSIOLOGIE EN GESTATION » A LUMEN GENTIUM (Chap. I et II)

I

Le livre du P. M.-D. Koster, *Ekklesiologie im Werden* (Paderborn, 1940), appartient désormais à l'histoire de l'ecclésiologie au XXe siècle. Plusieurs études du même auteur en ont, par la suite, repris et développé de façon positive la thèse essentielle[1]. Si la Constitution conciliaire *Lumen Gentium* (21 novembre 1964) a, dans une certaine mesure, consacré cette thèse, on sait qu'à son époque, le livre souleva surtout des critiques, bien que la guerre ait alors limité sa diffusion dans les pays étrangers à l'espace germanophone[2]. Moi-même étais alors

1. Die Firmung im Glaubenssinn der Kirche. Regensburg-Münster, 1948; Volk Gottes im Wachstum des Glaubens. Himmelfahrt Mariens und Glaubenssinn. Heidelberg, 1950; Von den Grundlagen der Kirchengliedschaft. Die Neue Ordnung 4 (1950) 206-219 (la suite annoncée ne semble pas avoir paru). Avant la fin du concile, K. a donné une brève mais très dense et intéressante synthèse de sa vision de l'Église : Zum Leitbild von der Kirche auf dem II. Vatikanischen Konzil. Theolog. Quartalschr. 145 (1965) 13-41, article daté de mai 1964.

2. Nous avons pris connaissance des comptes rendus suivants : Theol. Quart. 122 (1941) 145-166 (K. ADAM, Ekklesiologie im Werden?); Z.K. Theol. 65 (1941) 91-95 (F. SCHLAGENHAUFEN); Z. f. Asz. u. Mystik 16 (1941) 48 s (E. PRZYWARA); Wiss. u. Weisheit 8 (1941-42) 106-108 (J. EICHINGER); Divus

prisonnier, entremêlant le travail théologique ou apostolique avec d'autres activités bientôt polarisées par l'évasion.

Que l'accueil fait à Koster n'ait pas été d'abord plus positif, s'explique largement par le fait qu'il était lui-même bien négatif. Si toute l'ecclésiologie était demeurée jusqu'alors en un état « préthéologique », trop d'hommes se sentaient disqualifiés, soit dans leurs ouvrages, soit dans les auteurs qu'ils estimaient : Scheeben, Möhler... S. Augustin ! L'idée du Corps mystique représentait alors et depuis les années 25-30, une immense récupération, pleine de richesses et de promesses, par rapport à une ecclésiologie trop souvent limitée à une théorie de droit public ecclésiastique ou à une « hiérarchiologie »[3]. Il est vrai que cette idée était parfois abordée avec un certain romantisme. On doit même, et nous l'avons fait[4], reconnaître que sa présentation dans la tradition issue de S. Augustin, et ce qu'on tirait de l'expression qu'elle avait *dans la christologie* de S. Thomas, pouvait favoriser le danger d'identifier Corps mystique et domaine de la grâce, et donc de verser dans la chimère d'une Église invisible. N'y avait-il pas quelque chose de cela, même chez un P.E. Mersch, à qui, cependant, nous devons tant pour cette récupération bénie de l'idée de Corps mystique ?[5] A cet

Thomas (Fr.) 21 (1943) 98-112 (C. Zimara, Rufe nach « wissenschaftlicher Ekklesiologie ») ; Bull. Thomiste VI (janv. 1940-oct. 1942) N° 735, p. 468-469 (L.M. Dewailly).

U. Valeske, Votum Ecclesiae. München, 1962, I. Teil, après avoir exposé, p. 196 s., le contexte dans lequel parut le livre de K., puis les thèses principales de ce livre, résume bien, p. 205-207, les critiques qui lui furent faites sur-le-champ.

3. Je suivais pour ma part ce mouvement avec une attention fervente : voir mes comptes rendus de la Revue des Sciences philosophiques et théologiques, du Bulletin thomiste et d'autres revues, reproduits dans Sainte Église, Études et approches ecclésiologiques (Unam Sanctam 41), Paris, 1963, p. 445-696, et cf. U. Valeske, *op.* et *loc. cit.*

4. *Lumen Gentium*, N° 7, « L'Église, Corps mystique du Christ », vu au terme de huit siècles d'histoire de la théologie du Corps mystique. In : Au service de la Parole de Dieu. Mélanges offerts à Mgr A.M. Charue. Gembloux, 1969, p. 179-202.

5. Voir, par exemple : Le corps mystique du Christ. Études de théologie historique, 2e éd., Bruxelles-Paris 1936, t. II, p. 173 et 232 s. ; Théologie du Corps mystique, Paris-Bruxelles 1944, t. II, p. 195-196, où nous lisons : « Les païens de bonne foi sont membres du Corps mystique sans être membres de l'Église visible. »

égard, le P. Koster dénonçait un vrai danger, avant que le P.E. Przywara n'élevât la voix[6].

Nous ne pouvons cependant, aujourd'hui encore, estimer adéquat et suffisant le traitement que Koster fait de l'idée de Corps du Christ. Pour lui, c'est la même réalité et cela dit la même chose que « Peuple de Dieu et du Christ »[7]. Koster ne nous paraît faire droit ainsi, ni à la nouveauté qu'apporte « Corps du Christ » par rapport à la notion vétéro-testamentaire de « Peuple de Dieu », *dans la ligne même des implications de cette notion*[8], ni au plein contenu de la notion paulinienne de *sôma Christou* telle que l'expliquent d'excellents exégètes, un P. Benoît par exemple[9]. Quant au premier point, il faut bien mesurer tout ce qu'implique, dans l'expression « peuple de Dieu », non seulement le mot *peuple*, mais son déterminant : *de Dieu*. Le programme de l'alliance, de la filiation, de l'héritage, ne peut être rempli que « in Christo » et dans la mesure où, vraiment, « *un seul* monte au ciel, le Fils de l'homme qui est dans le ciel » (Jn 3, 13). Quant à cette réalité de l'« in Christo », le P. Benoît, mais aussi bien L. Cerfaux, nous parlent d'une identification spirituelle (« mystique ») avec le corps pascal et glorifié du Christ Jésus. D'une manière générale, il nous semble, encore aujourd'hui — alors même que, sur la valeur « peuple de Dieu », nous sommes positivement très proches de notre confrère —, que Koster n'a pas assez situé et montré le caractère théologal de l'Église. Est-ce

6. Dans son article fameux : Corpus mysticum — Eine Bilanz. Zeitsch. f. Asz. u. Mystik 15 (1940, 4) 197-215.

7. Cf. Von den Grundlagen, p. 208 s. ; Zum Leitbild, p. 19-25 (cités supra, n. 1).

8. Ce que nous avons expliqué (trop brièvement et schématiquement) dans notre contribution au volume JACQUES LECLERCQ... Tournai-Paris, 1961, p. 233-254, reproduits in Sainte Église (supra N° 3), voir p. 43-44, mais surtout dans notre article : L'Église comme peuple de Dieu. Concilium 1 (1965) 15-32 (cf. p. 28-32).

9. Dans : Corps, tête et plérôme d'après les Épîtres de la captivité. Rev. biblique 63 (1956) 5-44 (repr. in : Exégèse et Théologie. Paris, t. II, 1961, p. 107-153). Cf. notre article cité supra (n. 4) p. 197.

parce qu'il a trop distingué (opposé ?) un « Heilspersonalismus », répondant à la grâce, et un « Heilskollektivismus », seul vraiment ecclésiologique, répondant aux structures externes à base sacramentelle ? La Tradition ne parle pas de cette façon. Sans doute faut-il dépasser un certain romantisme ou une pure expression en images de ces choses, mais on ne peut méconnaître que, pour la Tradition, l'Église est la plénitude du mystère même du Christ[10]. Ceci n'apparaît pas assez chez Koster. Celui-ci donne volontiers des références à la liturgie, mais son exposé reste assez étranger au mouvement liturgique, où l'idée de l'Église comme Corps mystique et Épouse liée au mystère du Christ trouvait un si riche développement.

Le 29 juin 1943 paraissait l'encyclique « *Mystici Corporis Christi* ». En un sens, elle consacrait certaines thèses de *Ekklesiologie im Werden :* sa critique d'une conception, soit purement spirituelle-personnaliste, soit romantique, du Corps mystique : on ne pouvait plus concevoir celui-ci simplement comme le domaine de la grâce. Elle reprenait en somme le contenu du thème Kosterien — bien que sans le détail d'une structuration du peuple de Dieu par les caractères sacramentels[11] —, mais elle le faisait *dans le cadre de la notion de Corps mystique*, qu'elle déclarait être la plus propre à définir et

10. Cela ressort d'innombrables textes et études, et c'est aussi très johannique. Voir par exemple, outre les livres du P. Mersch (cités n. 5) et la critique de K. Adam (supra, n. 2), H. de Lubac, Catholicisme, Paris, 1938 ; M. J. Le Guillou, Le Christ et l'Église. Théologie du Mystère. Paris, 1963 ; R. Brêchet, Du Christ à l'Église. Le dynamisme de l'Incarnation dans l'Évangile selon saint Jean, Divus Thomas (Pi) 56 (1953), 67-98.

11. C'est un problème, posé dès 1941 par K. Adam, de savoir si les caractères sacramentels ont, en Tradition (orientale et occidentale) et en enseignement du magistère (ordinaire ou extraordinaire), une consistance telle qu'ils puissent porter le rôle que Koster leur faisait jouer ? On rencontrerait ici une autre grave question que posait la construction de Koster, à l'égard même d'une fidélité à la doctrine de S. Thomas : la grâce sanctifiante est la réalité la plus haute, les caractères sont des valeurs secondes relatives « ad cultum *praesentis Ecclesiae* ». A mon avis, on rencontre ici le problème, non abordé par Koster, de l'articulation, chez S. Thomas, du concept de *populus* et du concept d'*Ecclesia* : S. Thomas ne les confond pas, mais les articule. Voir C. Gent. IV, 76 ; notre : L'Église de

décrire l'Église [12]. A cet égard, l'encyclique pouvait passer pour un désaveu du livre de Koster, car celui-ci n'avait pas assez distingué une idée positive et valable de Corps mystique, de celle, excessivement spirituelle-personnelle, qu'il avait rejetée et que l'encyclique éliminait également, alors que, dans le fond, l'encyclique exprimait, en termes de Corps mystique, une ecclésiologie assez consonante à celle que Koster préconisait en termes de Peuple de Dieu (et du Christ)....

Mais le thème du Peuple de Dieu suscitait un intérêt croissant. A ma suggestion, le Professeur lovaniste L. Cerfaux avait poursuivi, selon sa méthode de recherche philologique des thèmes, une étude qui aboutit, en 1942, à la publication de *La théologie de l'Église suivant saint Paul (Unam Sanctam*, 10). Or, si Cerfaux était plus constructif que Koster sur la question du Corps du Christ, il considérait que cette notion était, chez saint Paul, un attribut, non une définition de l'Église et que le concept ecclésiologique de base était celui de Peuple de Dieu.

Ce dernier thème faisait son chemin, grâce surtout aux travaux bibliques [13]. D'autre part, certaines thèses de *Mystici Corporis* laissaient insatisfaits tant les théologiens que les exégètes : son interprétation essentiellement socio-corporative de l'idée paulinienne de Corps du Christ ; son identification rigoureuse et exclusive, sur cette terre, du Corps Mystique avec l'Église catholique romaine, et le traitement correspondant de la question *de membris*... [14].

S. Augustin à l'époque moderne (Hist. des dogmes III [3]), Paris, 1970, p. 232-241, et notre contribution à paraître dans les St. Thomas Commemorative Studies : 1274-1974, du Pontifical Institute of Mediaeval Studies de Toronto.

12. AAS 35 (1943) 199.

13. Voir Valeske, *op. cit.*, p. 239-248 ; dans le n° 1 de Concilium, 1965, outre notre propre article, les Bulletins de R. Schnackenburg et J. Dupont.

14. Voir notre étude citée supra (n. 4), p. 196-197.

II

Vint le Concile. Au cours des travaux de la Commission théologique préparatoire, déjà, et malgré la présence très active du P.S. TRomp à ces travaux, la question *de membris* telle qu'elle était formulée dans l'encyclique avait paru problématique et sa solution sans issue. Dès que la discussion du schéma *De Ecclesia* de la Commission préparatoire (en 11 chapitres) fut introduite au concile, le 1er décembre 1962, le premier orateur, le cardinal Liénart, attaqua ce point, qui s'y trouvait repris. Le cardinal Döpfner, le 3 décembre, estima également trop juridique la façon dont on y parlait des membres, tandis que, le 4 décembre, le cardinal Frings disait que la façon dont on parlait du Corps mystique lui semblait trop sociologique.

On sait comment les choses évoluèrent dans les mois qui séparèrent la première période du concile de la seconde. C'est sur un nouveau schéma en quatre chapitres, intitulé *Lumen Gentium*, composé du reste très largement avec des morceaux du précédent, que le concile eut à travailler jusqu'à la promulgation d'une Constitution dogmatique en huit chapitres, le 21 novembre 1964. Or, le deuxième chapitre de cette Constitution portait pour titre « De populo Dei ». Comment en était-on venu là ?

III

Cette histoire n'a pas été écrite en détail. Elle ne saurait l'être d'ailleurs tant qu'une partie des documents qui la concernent demeure inaccessible : en particulier les comptes rendus des réunions de la Commission de coordination instituée par Jean XXIII le 6 décembre 1962, et les rapports adressés à cette Commission. Ayant été mêlé de très près à la rédaction de ce chapitre II, nous pouvons tenter cependant d'esquisser son histoire en utilisant tant nos notes et dossiers personnels que la documentation imprimée, pour autant du moins que nous pouvons en disposer.

C'est ainsi que nous avons pris connaissance, en 1960, des Vota adressés par les évêques, les Congrégations romaines, les Facultés de Théologie, à la Commission anté-préparatoire. Malheureusement, nous n'avons pas alors noté les demandes qui ont pu y être formulées en faveur d'un exposé *de Ecclesia* sous l'angle du peuple de Dieu, et nous n'avons plus aujourd'hui ces précieux volumes sous la main. Dès le début, cependant, l'idée avait été proposée à la Commission théologique préparatoire par un de ses consulteurs, J. Backes, qui remit à la sous-commission *De Ecclesia*, pour sa réunion des 13-18 février 1961, un papier occupant huit grandes pages, « De Corpore Christi mystico et de Populo Dei », daté du 24 janvier, puis, après la réunion, un autre daté du 25 février, « De Ecclesia secundum quod consideratur tamquam populus Dei Novo Testamento constitutus » [15]. C'est une sorte de plan d'exposé ecclésiologique en quinze paragraphes, commençant par la préparation de l'Église dans l'histoire d'Israël, et son institution par le Christ comme nouveau peuple de Dieu. Le texte est marqué par le souci de continuité doctrinale, et même littérale, avec l'encyclique *Mystici Corporis*, qui dominait encore alors, à Rome, tout exposé sur la nature ou le mystère de l'Église.

Est-ce sous l'inspiration de Backes, je ne sais, cela n'est pas certain, mais peu de jours après, le 3 mars 1961, Mgr G. Philips, que je visitais à Louvain, me dit qu'à la réunion de la Commission, qui venait de se tenir, il avait proposé qu'on adoptât, pour le *De Ecclesia*, l'idée de peuple de Dieu. Elle aurait l'avantage de manifester le lien historique unissant Israël, le Christ, l'Église.

De fait, dans le Schéma de Constitution dogmatique *De Ecclesia* en onze chapitres rédigé par la Commission théologique préparatoire, au cours des trois premiers numéros du chapitre I, « De Ecclesiae militantis natura », l'idée ou le terme de peuple de

15. J. Backes avait publié : Die Kirche ist das Volk Gottes im Neuen Bund. Trierer Theol. Zeitsch. 69 (1960) 111-117 ; Gottes Volk im Neuen Bund. *Ibid.*, 70 (1961) 80-93 ; Das Volk Gottes im Neuen Bunde. In : Kirche, Volk Gottes, Hrsg. v. H. Asmussen. Stuttgart, 1961, p. 97-129.

Dieu revient plusieurs fois [16]. Ce texte, rédigé par le P. S. Tromp à partir de développements trop abondants de Mgr Ugo Lattanzi, était orienté dans la ligne de *Mystici Corporis :* on visait la réaffirmation d'une Église-société hiérarchiquement structurée, identifiée au Corps Mystique du Christ. Dans la discussion du chapitre Ier du texte rénové (rédaction G. Philips revue par la Commission théologique), Mgr Scalais proposait qu'on introduise le thème « peuple de Dieu » parmi les images de l'Église, tandis qu'au nom des évêques d'Indonésie, Mgr Van der Burgt demandait qu'on mette « peuple de Dieu » en rapport avec « Corps mystique » (tous deux le 3 octobre 1963).

L'idée de peuple de Dieu était familière aux théologiens de Louvain, G. Philips et G. Thils. Ont-ils influencé le cardinal Suenens ? Au début d'août 1963, je reçus de celui-ci une invitation à travailler, dans une petite équipe, à une légère refonte du *De Ecclesia* et surtout à l'élaboration d'un texte du Schéma XVII, devenu par la suite Schéma XIII et Constitution pastorale *Gaudium et Spes*. Ce dernier travail, mené les 7-9 et 17 septembre, à Malines, n'a pratiquement pas eu de suite au concile. Par contre, le cardinal Suenens proposa à la Commission de coordination les modifications qui, acceptées par cette dernière, furent proposées au concile dans le fascicule intitulé : « Emendationes a Concilii Patribus scripto exhibitae super schema Constitutionis dogmaticae De Ecclesia, Pars II. » Typis Polyglottis Vaticanis MCMLXIII [17].

16. *Sacrosanctum Œcumenicum Concilium Vaticanum secundum, Schemata Constitutionum et Decretorum de quibus disceptabitur in Concilii sessionibus.* Series Secunda, *De Ecclesia et de B. Maria Virgine*. Typis polyglottis Vaticanis MCMLXII. N° 1, p. 9 « acceptabilem sibi populum mundaret... novum genus electum... novum scilicet Israël ». N° 2, p. 9 « et populum Dei... non modo per se, sed et per electos a se praepositos multipliciter sanctificat sapienterque gubernat » ; p. 10 « Itaque, novus hic populus, quem Paulus Apostolus Israël Dei appellavit... ». n° 3, p. 10 « Porro sicut Moyses, eum, qui in deserto peregrinabatur, Israël secundum carnem, Dei Ecclesiam nuncupavit... » : ce texte a été repris en substance dans *LG* n° 9, par. 3, début.

17. Voici comment ces modifications étaient annoncées p. 5 : *Emendationes a Concilii Patribus scripto exhibitae.*

1. Nova ordinatio capitum ab E. Card. Suenens proposita :

Praenota : « Commissio de laboribus Concilii coordinandis nuper censuit hoc caput (scilicet III) dividendum esse in duas partes, quarum prior sit *De populo*

Le chapitre II de *Lumen Gentium* n'a pas été totalement discuté comme tel par l'assemblée conciliaire. Cependant, la plupart des morceaux qui le composent l'ont été à leur place, puisqu'ils sont pris, soit de l'ancien chapitre I, soit de l'ancien chapitre III (sur les laïcs). Les passages nouveaux ont été soigneusement rédigés d'après les désirs et les indications des Pères. Le tout a été présenté le 17 septembre 1964 par Mgr Garrone, soumis au vote avec possibilité de *modi*, puis à un vote final paragraphe par paragraphe et un suffrage d'ensemble. De plus, les Pères conciliaires se sont exprimés *in aula*, en octobre 1963 : le cardinal Siri de façon critique et négative (26 octobre) ; NN. SS. Dubois (17 oct.), Schröffer et Jäger (18 oct.), Wojtyla (21 oct.), le cardinal Caggiano (22 oct.), de façon très positive et en apportant des éléments constructifs. Le cardinal Wychinski, le 15 octobre, proposait toute une restructuration du schéma selon une théologie de l'Église peuple de Dieu, Corps mystique, société, tandis que, le 25 octobre, Mgr Evangelisti attirait l'attention sur une ambiguité possible de la notion de peuple de Dieu. Le 17 octobre, Mgr Castellano avait approuvé l'idée de peuple de Dieu, et Mgr Padin celle de mettre le nouveau chapitre *avant* celui « De S. Hierarchia ».

A la Commission théologique, les avis étaient également partagés. C'est le 9 octobre 1963 que le cardinal Ottaviani fit savoir que la Commission de coordination n'imposait pas le nouvel ordre des textes et que, en toute liberté, la Commission théologique se déclara en sa faveur. Sur la question de la séquence à mettre entre le *De Populo Dei* et le *De S. Hierarchia*, également, l'accord était assez général, les avis contraires isolés.

Dei in genere et efformet caput II schematis huius Constitutionis, altera vero sit *De Laicis in specie* et caput constituat IV, ita ut tota Constitutio quinque constet capitibus, nempe.
1. De Ecclesiae mysterio.
2. De Populo Dei in genere.
3. De constitutione hierarchica Ecclesiae.
4. De Laicis in specie.
5. De vocatione ad sanctitatem in Ecclesia. »

Ut haec indicatio exsecutioni mandetur, proponitur sequens nova ordinatio. In Capite I auferuntur ea quae sub numero 2 et praesertim 3 ad thema de Populo Dei spectant, ut ad novum caput II transferantur. Ad servandam autem connexionem idearum, numeri 2 et 3 videntur componendi ut sequitur infra.

Au cours de ce mois d'octobre, la Commission théologique conciliaire reçut différents textes visant à étoffer le nouveau chapitre *De Populo Dei :* le 16 octobre, du P. Jacques Dournes, missionnaire au Viet-Nam et conseiller de plusieurs évêques de ce pays [18] ; le 22 octobre, du cardinal Raoul Silva Henriquez (Santiago, Chili) et de 39 évêques d'Amérique latine [19] ; enfin un projet de rédaction nouvelle venant des experts espagnols [20]. Mais les discours prononcés in aula fournissaient des requêtes et des suggestions. La sous-commission de la Commission théologique chargée du travail a poursuivi son labeur du 30 octobre jusqu'au 3 décembre 1963, puis du 30 janvier au 9 février 1964, pendant que d'autres sous-commissions travaillaient sur les autres chapitres. Le texte proposé par la sous-commission fut examiné en réunion plénière de la Commission théologique du 2 au 5 mars 1964. Introduit par Mgr Garrone, le chapitre fut voté par paragraphes, le 17, puis globalement, le 18 septembre 1964 [21] ; l'« expensio modorum » fut approuvée par l'assemblée le 30 octobre [22]. Dans sa *Relatio,* Mgr Garrone indiquait six raisons qui justifiaient l'institution d'un chapitre II sous le titre biblique du Peuple de Dieu : 1. Montrer l'Église en itinérance dans l'histoire, « inter tempora ». 2. Exposer ce qui concerne globalement toute l'Église, antérieurement à toute distinction d'états ou de ministères. 3. Ainsi apparaîtrait mieux l'insertion de la hiérarchie dans la communauté, comme un *service* de celle-ci. 4. Également l'unité de toute l'Église dans la variété des Églises particulières, des traditions et des cultures. 5. On situerait mieux

---

18. Texte de ton assez parénétique, animé d'un dynamisme missionnaire, distribué selon le schème des trois offices du Christ.

19. Texte assez long, lui aussi distribué selon le schème des trois offices ; avait tout un paragraphe sur la *koinônia*, sur les églises particulières, et une grande animation missionnaire.

20. Texte composé surtout de textes scripturaires.

21. Résultats de ce vote sur l'ensemble :

présents votant	2 190
placet	1 615
non placet	19
placet juxta modum	553

22. Résultats :

Votants	1 915,
placet	1 893,
non placet	19,
nuls	3.

les catholiques, les chrétiens non-catholiques et l'universalité des hommes dans le plan de Dieu, en évitant la terminologie inadéquate de « membres ». 6. Dans cette même perspective universelle, on situerait enfin heureusement la (ou les) Mission.

Personnellement, j'avais fait tous mes efforts pour obtenir : 1. un plus large exposé du peuple de Dieu *dans l'histoire du salut;* 2. l'introduction d'un paragraphe sur les Juifs dans le chapitre : ce qui eût, d'un côté, donné à ce texte un contexte et un sens *incontestablement* religieux et, d'un autre côté, exprimé l'appartenance du peuple juif, en tant que définitivement marqué par un choix de Dieu, à l'histoire du salut. Mes efforts, accueillis sympathiquement par plusieurs Pères — pour le second point, en particulier, par Mgr Veuillot —, n'ont que très modestement abouti.

IV

Considérant maintenant le texte et la doctrine de *Lumen Gentium* en leur formulation définitive, nous pouvons nous demander comment ils se présentent par rapport aux thèses défendues par le P. Koster. Il convient cependant de remarquer, d'entrée de jeu, qu'on ne saurait instituer une véritable comparaison entre des thèses de théologien et un texte conciliaire qui ne pouvait ni ne voulait être un « traité » *de Ecclesia* complet et systématiquement construit.

Le Concile n'a pas donné « Corps Mystique » comme une définition de l'Église. Du reste, il n'a pas prétendu « définir » l'Église. Quand *Lumen Gentium* dit : « Deus congregationem eorum qui in Iesum, salutis auctorem et unitatis pacisque principium, credentes aspiciunt, convocavit et constituit Ecclesiam, ut sit... » (n° 9, § 3), cela ne veut pas être, cela n'est pas une définition de l'Église, c'est l'expression descriptive d'un moment de l'histoire du salut, où la communauté des chrétiens prend le relais d'Israël pour s'appeler peuple de Dieu et Église.

Le concile a formellement *voulu* ne pas privilégier « Corps mystique » d'une façon qui en aurait fait l'expression de la réalité ecclésiale, en éclipsant d'autres images : celles-ci sont présentées (*LG* n° 6). Cependant, « Corps du Christ » est tellement important qu'un numéro spécial lui est consacré (n° 7) : l'explication est très peu systématique, elle est très proche des textes du Nouveau Testament. Elle fait sa place au sens socio-corporatif, mais sans en faire *le* sens exclusif, ni même le sens principal de l'expression. Enfin, l'identité entre le Corps mystique et l'Église visible et hiérarchisée, est énoncée d'une manière positive, mais qui n'implique pas le sens *exclusif* qu'on trouvait chez le P. Tromp : ce qui permet le fameux « subsistit in » du n° 8[23]. La sous-commission et la Commission théologique avaient délibérément évité de parler en termes de « membres ». Il y aurait une étude à faire — nous ne l'avons pas entreprise — pour voir dans quelle mesure les autres passages de *Lumen Gentium*, et surtout les autres documents conciliaires dépassent ou ne dépassent pas la théologie du Corps mystique contenue dans ces n°s 7 et 8 de *Lumen Gentium*.

Et qu'en est-il de « Peuple de Dieu » dans les seize documents conciliaires ? L'expression se trouve dans onze d'entre eux, et 39 fois dans *Lumen Gentium*[24]. Le plus généralement, elle désigne l'ensemble ou la totalité des fidèles qui sont à Dieu ; parfois « populus » signifie par contre le peuple de l'Église, les fidèles distingués de leurs pasteurs[25]. Par son contenu, par la place du chapitre II avant le chapitre sur la hiérarchie, par le

23. Voir notre étude citée supra (n. 4), p. 200-201.

24. Voici le résultat d'une relecture intégrale, mais rapide : l'expression ne se trouve pas dans *Optatam totius, Perfectae caritatis, Orientalium Ecclesiarum, Inter mirifica, Dignitatis humanae*. On la trouve 39 fois dans *LG*, une fois dans la Constitution sur la Liturgie, une fois dans *Dei Verbum*, deux fois dans *Christus Dominus*, six fois dans *Gaudium et Spes*, sept fois dans *Presbyterorum Ordinis*, quatre fois dans *Apostolicam actuositatem*, six fois dans *Ad Gentes divinitus*, deux fois dans *Unitatis redintegratio*, une fois dans *Nostra aetate*, trois fois dans *Gravissimum elucationis momentum*. Au total 72 fois littéralement « populus Dei ». A quoi il faudrait ajouter les cas où le sens se trouve sans « Dei » : 14 fois dans *LG* ; ou les cas où l'on a « populus Novi Testamenti » (deux fois dans *LG*), « Novus Israël » (une fois), « populus christianus » (une fois dans *LG*, trois dans la Constitution sur la liturgie), « sacerdotalis populus » (une fois dans *LG*), « fidelis populus » (trois fois, dont une dans *LG*), enfin « familia Dei » (plusieurs fois dans *Gaudium et Spes*, une dans *Presbyt. Ord.*).

25. Ainsi dans *LG* 23, par. 1 ; 24, par. 1 (« pastores populi sui ») ; 26, par. 3 (« orando pro populo ») ; 28, par. 2 (Prêtres « ad populo Dei inserviendum vocati ») ; 45, par. 1 (« populum Dei pascere ») ; dans la Constitution sur la liturgie, on trouve en ce sens *populus* ou *plebs*.

dynamisme même de la notion et du mot, la théologie de l'Église comme Peuple de Dieu dans *LG* s'avère dès maintenant devoir être une valeur ecclésiologique d'avenir. Elle partage ce privilège avec l'idée de « sacrement du salut » et avec celles de communion, collégialité, réalité ecclésiale des Églises particulières. L'idée préconisée par Koster est comme consacrée.

Elle ne l'est cependant pas telle que notre confrère la proposait en 1940. Koster parlait bien de perspective « heilsgeschichtlich »[26], mais sur deux points au moins *LG* va plus loin et s'avère plus satisfaisant : 1. pour reconnaître la situation d'itinérance et l'historicité de l'Église[27] ; 2. en employant à deux reprises, n° 9, le terme de « populus messianicus ». Je suis personnellement responsable de ce terme. C'est ainsi que j'ai essayé de satisfaire à une demande de Mgr Marty inspirée par le P. Chenu[28]. Malheureusement, cette expression n'a pas été reprise dans d'autres documents conciliaires, ou elle en a disparu au cours de leurs remaniements (ainsi dans *Ad Gentes* n° 5). Or elle porte de grandes valeurs, celle, en premier lieu, d'une espérance libératrice de portée universelle. Or, d'un côté, le monde est plein de « messianismes prometteurs, mais bâtisseurs d'illusions »[29]. D'un autre côté, « c'est l'Église qui possède le message de libération, mais ce sont les autres qui libèrent »[30]. Dès lors le problème n'est-il pas de « faire se rejoindre le Messie sans messianisme des Églises et le messianisme sans Messie du monde »[31] ?

---

26. Cf. Ekklesiologie im Werden, p. 146.
27. Cf. les n°s 8, par. 3 et 4 ; 9. par 3. Par contre, VALESKE (*op. cit.*, p. 245) note que l'idée de « wanderndes Gottesvolk » est absente chez KOSTER, tandis qu'on la trouvait chez moi, chez R. GROSCHE, plus tard chez le Cardinal DÖPFNER, etc.
28. Du P. CHENU, on peut lire : Un peuple messianique, Nouv. Rev. théol. 89 (1967) 164-182, mais déjà : Spiritualité du travail, Paris, 1941, p. 23, 43, 49. On peut voir aussi J. GRAY, Le peuple de Dieu et l'Église. Masses ouvrières, n° 49, 1949, p. 18-31.
29. PAUL VI, Enc. Populorum Progressio, n° 11.
30. PAUL EVDOKIMOV, La femme et le salut du monde. Paris, 1958, p. 18.
31. Pasteur ANDRÉ DUMAS, à propos de la Conférence Église et Société (Genève, juillet 1966) : Foi et Vie, janvier 1967, p. 2.

Koster structurait le Peuple de Dieu à partir des caractères sacramentels, et il a publié plusieurs études sur le sacrement de confirmation. Certes, l'idée de structure à fondement sacramentel joue un grand rôle dans l'ecclésiologie conciliaire. Cependant, là où *LG* parle des sacrements dans le cadre, soit du Corps mystique (n° 7, par 2), soit du Peuple de Dieu (n° 11), l'accent est mis beaucoup plus sur la vie spirituelle chrétienne et sur son exercice, que sur la structuration sociale. Ce n° 11 (dont on peut rapprocher *Presbyt. Ord.* n° 5) est particulièrement significatif, d'autant que c'est un des rares endroits où S. Thomas soit cité : il est dominé par l'idée d'exercice de la vie chrétienne caractérisée (n° 10) comme sacerdotale, et il est orienté vers l'idée d'appel universel à la sainteté.

Ces remarques montrent que le concile n'a suivi ni un auteur particulier, ni une école, et qu'il n'a pas cherché à donner un exposé systématique. C'était normal. Il reste qu'il a implicitement reconnu la justesse et la fécondité de l'intuition du P. M.D. Koster, en ce qu'elle avait de positif.

Addendum de 1983

Depuis la publication de notre article, est paru Fr. Geremia, I primi due capitoli della « Lumen Gentium ». Genesi ed elaborazione del testo conciliare. Rome, 1974. Il donne, p. 62-64, des précisions touchant l'initiative du cardinal Suenens pour introduire le chapitre « De populo Dei » ; p. 63 en note, le texte du cardinal en son intervention à la Commission de coordination le 3 juillet 1963. D'autre part, le cardinal Suenens nous écrivait, le 11 mai 1971 : « l'idée de l'intervention des chapitres II et III me vint par Mgr Prignon », qui était alors Supérieur du Collège Belge de Rome, Cuique suum.

Chapitre XI

« LUMEN GENTIUM » N° 7, *L'ÉGLISE, CORPS MYSTIQUE DU CHRIST* VU AU TERME DE HUIT SIÈCLES D'HISTOIRE DE LA THÉOLOGIE DU CORPS MYSTIQUE

Nous ne prétendrons évidemment pas retracer, en quelques pages, l'histoire de l'idée de Corps mystique : aussi bien le Père E. Mersch a-t-il fait le travail d'une manière qui reste valable [1]. Sa mort tragique en mai 1940 l'a privé de lire l'encyclique *Mystici Corporis* du 29 juin 1943 et de connaître l'enseignement du second concile du Vatican. Le propos des pages qui suivent est de montrer comment ces deux documents du magistère ordinaire ou extraordinaire ont successivement résolu une difficulté ou une tension nées au cours du développement théologique de la doctrine du Corps mystique. Nous nous en tiendrons à la partie occidentale, c'est-à-dire latine, de ce développement.

On n'a cessé en Occident de parler de l'Église comme Corps du Christ. S. Augustin et le haut moyen âge le font constamment [2],

1. *Le Corps mystique du Christ. Études de théologie historique (Museum Lessianum,* section théol. n°s 28-29). Louvain, 1933 ; 2e éd. 1936 ; 3e éd. 1951.

2. Sur les thèmes augustiniens du Corps du Christ (*« caput et membra, unus homo », « totus Christus »*), voir Mersch, *op. cit.* Identité entre *corpus Christi* et Église catholique. Énoncés brefs : *En. in Ps.* 71, 8 (*PL* 36, 906 ; *CC* 39, 977) ; *De Civ. Dei,* XXI, 20 (*PL* 41, 734 ; *CC* 48, 786). Explication sur *caput* et sur *corpus*, qui est identifié à l'Église de tous les temps (*eccl. ab Abel*) et à la Cité de Dieu : *En. in Ps.* 56, 1 ; 62, 2 ; 90. II, 1 (*PL* 36, 662 ; 748-749 ; 37, 1159-1160, ou *CC* 39, 694, 794, 1266). Pour le haut moyen âge, voir notre Hist. des doctrines ecclésiologiques. *De S. Grégoire le Grand à la Réforme du XIe siècle.*

bien qu'ils n'aient pas élaboré les éléments d'un traité *De corpore Christi (mystico)*. Si l'on apprécie leur théologie par référence à ce qui a suivi, il leur a manqué pour cela les développements que la Première Scolastique, celle du XIIe siècle, a donnés à l'idée du Christ comme chef, *caput*. S. Augustin n'a pas admis une causalité de l'humanité du Christ dans la production de la grâce [3]. Dès lors, il devait envisager la qualité de *caput* dans la ligne où le Christ est *rex, rector*, et aussi, bien sûr, exemple et règle des fidèles qui, en vivant de son Esprit, sont les membres de son corps. Chez S. Augustin, au fond, *caput* demeurait proche de *vir-sponsus*. Le haut moyen âge n'a pratiquement pas dépassé cette théologie. Au XIIe siècle, par contre, dans les écoles où se forma la Scolastique on posa des « questions » sur cette qualité qu'a le Christ d'être *caput* : Quel est le contenu de la notion de *caput* ? Est-ce que le Christ est tête de l'Église en son humanité ou seulement en sa divinité ? Le Christ est-il la tête d'Abel, des anges ? Etc. [4].

C'est dans le cadre de ces recherches d'école que s'est systématisée une définition de la tête, que l'on trouvait déjà chez S. Augustin, comme étant ce en quoi se trouve la plénitude des sens, ce dont dérive et à partir de quoi se communique la vie, ce qui donne à tout le corps la direction. Beaucoup, alors, ne mettent encore, sous le concept de *caput*, que les valeurs de supériorité et d'autorité : ainsi, par exemple, Pierre de Poitiers. Mais chez un Robert de Melun, chez un Pierre Le Chantre, *caput* commence à comporter l'idée d'influx : le traité *De Christo capite* systématisé au XIIe siècle pourra s'enrichir d'un chapitre *De gratia Capitis*.

3. Cf. G. PHILIPS, *L'influence du Christ-Chef sur son corps mystique suivant S. Augustin*, in *Augustinus Magister*, Paris, 1954, p. 805-815. Nous avons traité le même thème : « Saint Augustin et le traité "De gratia Capitis" », in *Augustinianum* XX, fasc. 1-2 = Ecclesia orans. Mélanges A.G. Hamman, publ. sous dir. V. Saxer, p. 79-93.

4. On trouvera une documentation dans A. LANDGRAF, *Die Lehre vom Geheimnisvollen Leib Christi in den frühen Paulinenkommentaren und in der Frühscholastik*, in *Divus Thomas* (Fr.) 1946-1948 ; Z. ALSZEGHY, *Nova creatura. La nozione della grazia nei commentari medievali di S. Paolo (Anal. Gregor.*, 81). Rome, 1956, p. 158-180 ; S. TROMP, *Corpus Christi quod est Ecclesia*. II. *De Christo Capite*, Rome, 1960, p. 17 sv.

Prenons la question « *De gratia Christi secundum quod est caput ecclesiae* » telle qu'elle se trouve chez S. Thomas d'Aquin, *Sum. theol.*, III*a*, q. 8. On peut la considérer comme représentative, classique. Du reste, si l'on fait abstraction du rôle causal reconnu à l'humanité du Christ à l'égard de la grâce en nous, il n'y a rien là dont on ne trouve l'équivalent chez les autres grands scolastiques. Nous voyons successivement que le Christ est tête de l'Église (a. 1, qui reprend l'analyse, désormais classique, de la notion de *caput*) qu'il est chef des hommes quant à leur corps aussi bien que quant à leur âme (a. 2), qu'il est *caput* de tous les hommes (a. 3), des anges (a. 4)... Arrêtons-nous là. Quelle notion de *caput*, et surtout quelle notion de *corpus (Christi mysticum)* trouvons-nous ?

Le concept de *caput* était fixé depuis le milieu du XIIe siècle. Il comportait les valeurs suivantes : une situation d'éminence et de supériorité (valeur d'ordre), une condition de perfection ou de plénitude, une action *sur* le reste ou une influence[5]. Chacun de ces aspects pouvait trouver une application ou une réalisation particulière. Selon la supériorité, le Christ reste le roi même des damnés[6], alors qu'on ne peut dire qu'il soit leur *caput* (art. 3). Selon la perfection, l'Antéchrist peut être dit *caput* de tous les méchants (art. 8). Quant à l'action par influence, elle peut être intérieure ou seulement externe : c'est de cette seconde façon que les prélats ou pasteurs peuvent être dits *caput* de leurs églises (art. 6). Une certaine note de visibilité intervient précisément ici. Le concept de tête ne s'impose pas s'il ne s'agit que d'une influence ou d'une action cachée : on utiliserait alors plutôt celui de cœur. Le concept de tête implique une supériorité *manifeste*[7].

Le concept de corps en son usage ecclésiologique tel qu'on le trouve chez S. Paul, est, dit S. Thomas, emprunté à l'ordre biologique ou organique (art. 1). S. Thomas ne le prend donc pas d'emblée au sens sociologique ou corporatif familier au droit romain et qu'on trouve chez les auteurs du christianisme

5. III[a], q. 8, a. 1 ; *De Ver.*, q. 29, a. 4 ; *Com. in epist. ad Col.*, c. 1, lect. 5.
6. Voir L. BILLOT, *De Verbo incarnato*, 2e éd., 1927, p. 218.
7. III[a], 8, 1, ad 3 ; comp. *De Ver.*, q. 29, a. 4, ad 7. La question cœur-tête, avec attribution du rôle du cœur au Saint-Esprit, a été bien élucidée par M. GRABMANN, *Die Lehre des hl. Thomas v. A. von der Kirche als Gotteswerk*..., Regensburg, 1903, p. 184-193.

pré-constantinien[8]. De cette origine dans l'ordre organique, le concept est transposé, « *similitudinarie* », pour désigner simplement une multitude ordonnée[9]. La pensée de S. Thomas est ici claire et ferme. Elle se situe dans la suite d'une longue tradition dont voici quelques éléments. D'abord l'idée augustinienne selon laquelle les justes de l'A. T. ont eu la même foi que les chrétiens : foi dans le Christ à venir, pour eux ; dans le Christ advenu, pour nous. Unité, identité de foi : unité, identité d'Église[10]. Ainsi l'Église, qui est le corps du Christ, était définie par un principe spirituel, par une unité d'objet. C'était de doctrine traditionnelle. S. Thomas a donné à cette idée toute sa profondeur et sa force dans la façon dont il définit l'Église comme « *congregatio fidelium* » et dont il fonde l'unité existant, à cet égard, entre l'Église de la terre et celle du ciel, anges compris[11]. Et si le Christ est *caput* de l'une et de l'autre, c'est qu'il a été à la fois *viator* et *comprehensor*[12]. La corporation médiévale (*corpus*) était une multitude d'hommes plus ou moins dispersés et divers, unifiée par un ordre à une « idée », à un principe spirituel. L'Église, elle, est ce corps ou ce collège des esprits dont le principe de rassemblement est la foi, germe de la vision. Le texte suivant, du *Contra impugnantes*, c. 3, exprime bien ce concept de *corpus* :

---

8. Les Pères anciens ont parlé ainsi du corps *que nous formons* : CLEMENT, *I ad Corinth*. 38, 1 ; Ignace d'ANTIOCHE, *Smyrn* 1, 2 ; TERTULLIEN, *Apolog*. 39, 1 ; CYPRIEN, *Epist*. 35, 24 ; 62, 1 ; 68, 1 ; etc. Sur cet usage en droit et en pensée juridique romains, cf. ROBERTI, *Il corpus mysticum di S. Paolo nella storia della persona giuridica*, in *Studi in on. di Enrico Besta*, Milan, 1939, t. IV, p. 37-82 ; A. EHRHARDT, *Das Corpus Christi und die Korporation im späten römischen Recht*, in *ZRG*, *Röm. Abt* 70 (1953) 299-347 et 71 (1954) ; J. BERANGER, *Recherches sur l'aspect idéologique du Principat*, Bâle, 1953, p. 218-252, surtout 222 sv. ; P. GROSSI, *Unanimitas. Alle origini del concetto di persona giuridica nel diritto canonico,* in *Annali di Storia del Diritto* 2 (1958), 229-331 (p. 256 sv.).

9. « *Corpus similitudinarie dictum, id est aliqua multitudo ordinata* » ; III^a, 8, 1, ad 2 ; 4 *c*.

10. Cf. S. AUGUSTIN, *Epist*. 110, 5-6 (*PL* 33, 858) ; S. THOMAS, *De ver.*, q. 14, a. 12 (« *alias non esset una ecclesia* ») ; I^a II^{ae}, q. 103, a. 4 ; q. 107, a. 1, ad 1 ; II^a II^{ae}, q. 1, a. 2 et 7 ; q. 4, a. 6, ad 2. Cf. M. D. CHENU, *Contribution à l'histoire du traité de la foi. Commentaire historique de II^a II^{ae}, q. 1, a. 2,* in *Mélanges thomistes,* Kain, 1923, p. 123-140.

11. Cette théologie a été bien mise en lumière par A. DARQUENNES, *La définition de l'Église d'après S. Thomas d'A.*, in *L'organisation corporative, du Moyen Age à la fin de l'Ancien Régime*, Louvain, 1943, p. 1-53 ; ID., *De juridische Structuur van de Kerk volgens S. Thomas v. A.*, Leuven, 1949, p. 47 sv.

12. III^a, q. 8, a. 4, ad 2.

> Sicut diversae etiam conditionis homines unum corpus ecclesiae constituunt secundum quod in unitate fidei conveniunt... Sicut religiosi et saeculares communiter sunt de collegio unius ecclesiae Christi in quantam in una fide conveniunt, quae unitatem ecclesiae perficit.

C'est une telle notion de *corpus*, équivalente de *collegium, coetus, universitas, collectio*, qui permet à S. Thomas de placer les justes depuis le commencement du monde [13], puis les anges et les saints du ciel (art. 4), dans la même Église que nous, dans ce même *corpus* dont le Christ est la Tête. Le *Corpus Christi* a dès lors même extension que l'*universalis ecclesia* de S. Grégoire le Grand : celle même de la connaissance et de l'amour surnaturels de Dieu. Dans ces conditions, le concept de *corpus* (*Christi mysticum*) ne comporte pas essentiellement les notes de visibilité et d'historicité [14] : bref on n'identifie pas d'emblée *Corpus Christi* et Église catholique romaine. Le *Corpus Christi* apparaît plutôt formé par l'ensemble des esprits qui, par grâce, ont le même Bien commun divin et forment ainsi un *corpus* au sens que nous avons précisé [15]. Un tel *corpus* est de soi spirituel : c'est, au fond, la communion des saints et, de fait, S. Thomas écrit : « *corpus Christi mysticum quod est ecclesia sanctorum* » [16] ; c'est le

13. « *Patres antiqui pertinebant ad idem corpus ecclesiae ad quod nos pertinemus* » : art. 3, ad 3. Comp. *IV Sent.*, d. 27, q. 3, a. 1, sol. 3, « *ad unitatem in qua Deo servimus pertinebant* » ; *Com. in Ep. ad Col.*, c. 1, lect. 5. *Corpus ecclesiae* doit être traduit : ce corps qu'est l'Église. Voir également notre article *Ecclesia ab Abel*, in *Abhandlungen über Theologie und Kirche. Festschrift für Karl Adam*, Dusseldorf, 1952, p. 79-108.

14. Que cela soit lié à la perception la plus profonde qu'a eue S. Thomas de la qualité théologale et de la valeur eschatologique de la foi, puis à l'option prise par S. Thomas quant à la nature de la *sacra doctrina*, nous avons essayé de le montrer dans *Le moment « économique » et le moment « ontologique » dans la Sacra Doctrina (Révélation, théologie, somme théologique)*, in *Mélanges offerts à M.-D. Chenu*, Paris, Vrin, 1967, 135-187. Sur la non-inclusion de la note de visibilité, cf. D. M. Nothomb, *L'Église et le Corps mystique du Christ,* in *Irénikon* 25 (1952), 226-248. On sait que A. Mitterer a voulu mettre S. Thomas en opposition avec l'encyclique *Mystici Corporis* : cf. notre *Sainte Église* (*Unam Sanctam*, 41), Paris, 1963, p. 649 sv.

15. S. Thomas parle quelquefois expressément en termes de Bien commun : *Q. disp. de virtutibus in communi*, a. 9 ; *De caritate*, a. 2 ; comp. *Com. in epist. 1 ad Cor.*, c. 13, lect. 4 fin ; *ad Ephes.*, c. 2, lect. 6. Étude du P. A. Darquennes, *Het « bonum commune » van de Kerk volgens sint Thomas, RTB,* 36 (1941), 341-364.

16. III^a, q. 80, a. 4 *c.*

domaine de la grâce, en dépendance d'origine (ou, s'il s'agit des anges, tout au moins de modèle parfait et de gouvernement royal) à l'égard de la plénitude qui assure à Jésus-Christ la qualité de *caput*. Seule cette dépendance de grâce est décisive. Les formes historiques de l'Église ne sont que des formes particulières de l'*effectus gratiae*[17].

Tout ceci est lié, chez S. Thomas, à une conception, non pas essentialiste, mais profondément théologale et eschatologique (cf. n. 14). Il faut également ne pas perdre de vue le fait que la question 8 de la III*a* pars ne prétend en aucune façon dessiner les linéaments d'un traité de l'Église comme corps du Christ : elle appartient à la christologie. Il était évidemment tentant de recourir à son article 3 le jour où l'on voudrait faire ce que S. Thomas lui-même n'a pas fait : un traité de l'Église. On y trouve en effet, pourrait-on croire, un bref traité du Corps mystique. Mais cela même n'est pas exact : c'est un traité de la grâce capitale, c'est une question de christologie, non d'ecclésiologie[18]. Si l'on voulait écrire le traité de l'Église que S. Thomas n'a pas fait, en en puisant les matériaux dans son œuvre, il faudrait recourir à bien d'autres traités où l'on trouverait une abondance de textes concernant le rôle du

---

17. *III Sent.*, d. 25, q. 1, a. 2, ad 10 :
« fides de corpore Christi et de omnibus sacramentis et de clavibus et de omnibus huiusmodi includitur in articulo qui est de effectu gratiae, qui est : sanctam ecclesiam catholicam, etc. »
Comp. *Prologus* au commentaire des épîtres de S. Paul :
« est haec doctrina tota de gratia Christi, quae potest tripliciter considerari... »

18. A vrai dire, entre les deux, il existe une position moyenne, celle qu'a voulu suivre le P. E. Mersch et dont il s'explique lui-même, *La théologie du Corps mystique*, Bruxelles, 1944, t. II, p. 195 :
« On peut étudier l'Église en la considérant en elle-même : c'est ainsi qu'on l'étudie d'ordinaire. Mais on peut aussi l'étudier en considérant le Christ : c'est ainsi qu'on l'étudiera en ces pages. On ne la verra pas moins en elle-même ; mais on la verra en son principe intérieur et en sa cause : n'est-elle pas la continuation du Christ et son Corps mystique ? Ici cependant une remarque s'impose. Si l'on peut dans la plupart des cas considérer comme interchangeables les deux expressions Église et Corps mystique, il ne s'ensuit pas qu'elles aient rigoureusement et de tout point de vue le même sens. On forcerait, croyons-nous, la portée du texte paulinien : *Ecclesia quae est corpus eius*, et de quelques autres semblables, si l'on prétendait y trouver l'affirmation d'une telle identité. Quelques auteurs le voudraient cependant, qui iraient même — ce qui est d'ailleurs parfaitement orthodoxe — jusqu'à déclarer que le Corps mystique, dans le sens strict du mot, serait exclusivement l'Église militante. »

Saint-Esprit, celui des vertus théologales, de la religion et du culte, concernant les sacrements et les caractères sacramentels, surtout les sacrements de baptême et d'eucharistie, le pouvoir des clefs et les différents degrés de l'Ordre, l'autorité papale, les formes de la communion, de la *sacra doctrina,* etc. S. Thomas connaissait bien l'Église historique, issue de l'Incarnation et de la Pentecôte :

> Eadem numero est ecclesia quae tunc (in die Pentecostes) nata est, et quae nunc est, quia eadem fides et eadem fidei sacramenta, eadem auctoritas, eadem professio... [19]

Au surplus nous pouvons remarquer que la théologie de la grâce capitale et l'idée corrélative d'un *corpus Christi* identique et coextensif au domaine de la grâce, n'est pas propre à S. Thomas. Elle se trouve chez tous les théologiens du XIIIe et du début du XIVe siècle [20]. Tout au plus peut-on noter les premiers effets de la nécessité où les catholiques vont se trouver, pour répondre aux sectes antiecclésiastiques répandues depuis le XIIe siècle, de marquer une distinction dans la compréhension du terme « Église », entre la *congregatio fidelium* au sens d'une « *fides simpliciter* », d'une foi non historiquement et ecclésiastiquement conditionnée, et l'« *Ecclesia quae modo Romana dicitur* », au sens d'une foi historiquement et ecclésiastiquement conditionnée [21].

Une précision va s'imposer en ce sens quand on se trouvera devant le danger d'une ecclésiologie de l'Église invisible, faite des seuls hommes en état de grâce. Le danger apparut à la fin du XIVe siècle avec Wyclif [22], mais surtout au début du XVe avec Jean

19. *Quodl.* XII, a. 13. Voir aussi ce que saint Thomas dit de la distribution logique des épîtres de S. Paul dans le *Prologus* de son commentaire.

20. Par exemple Jacques de VITERBE, *De regimine christiano*, C. 4 : « *...unde ecclesia sic sumpta convenienter dicitur congregatio omnium illorum qui sunt Christi membra qualitercumque* » : éd. H. X. ARQUILLIERE, Paris, 1926, p. 124.

21. Ainsi MONETA DE CREMONE, en 1241, en réponse aux Cathares et aux Vaudois, *Adv. Catharos et Valdenses*, lib. V, c. 2 : éd. Ricchini, Rome, 1743, p. 409.

22. Cf. R. STALDER, *Le concept d'Église selon le « De Ecclesia » de Wiclif*, in *Bijdragen* 23 (1962), 38-51 et 287-302.

Huss[23], au milieu du XVIe avec les réformateurs protestants. Tous ces noms représentent, à une époque où les aspects de puissance étaient excessivement développés, dans « sainte Église », au bénéfice des clercs, des moines et des prélats, c'est-à-dire d'un appareil juridique, une volonté de penser l'Église du point de vue de la grâce et de la qualité spirituelle d'une vie chrétienne. Le même courant a eu d'autres représentants demeurés vaille que vaille dans l'orthodoxie, comme un Fitz Ralph ou un Agostino Favaroni. Les Pères et tout le moyen âge avaient admis, d'une manière ou d'une autre, l'existence d'une *congregatio iustorum* connue de Dieu et qui ne recouvrait pas le tracé de l'Église visible. Mais avant d'admettre cela, ils s'attachaient à cette Église visible, celle du sacerdoce et des sacrements. Wyclif et Huss ont isolé les textes de S. Augustin parlant d'*ecclesia iustorum*, de *numerus praedestinatorum*, et ont construit à partir d'eux un concept d'Église invisible concurrençant la visible :

> Quamvis ecclesia dicatur multipliciter in Scriptura, suppono quod sumatur ad propositum pro famosiori, scilicet congregatione omnium praedestinatorum. Illa est sponsa Christi... et corpus Christi mysticum... Ista autem ecclesia... non habet aliquem praescitum partem sui,

écrit Wyclif en 1378-79[24]. Jean Huss reprend la même idée dans son *De Ecclesia* en 1413.

Ces positions attirèrent, non seulement des condamnations (Grégoire XI et le concile de Constance), mais une riposte de la part des théologiens. Cela fut immédiatement, contre Huss, les traités d'Étienne de Znaim, d'Étienne de Palecz[25], un peu plus tard ceux de Jean Stojković de Raguse (en 1433-35) et de Jean de Turrecremata (en 1449), deux dominicains[26]. Il fallait introduire

---

23. Cf. M. SPINKA, *John Hus Concept of the Church*. Rééd. Princeton, 1966 ; P. DE VOOGHT, *L'hérésie de Jean Huss* et *Hussiana* (Bibl. de la RHE, fasc. 34 et 35). Louvain, 1960. Nous disposons d'une édition moderne du *Tractatus de Ecclesia* de Huss par S. HARRISON THOMPSON, Cambridge, 1956.

24. *Tractatus De Ecclesia*, c. 1, Éd. J. Loserth, London, 1886, p. 2-3.

25. Cf. P. DE VOOGHT, *op. cit.* ; K. BINDER, *Wesen und Eigenschaften der Kirche bei Kard. Juan de Torquemada*, Innsbruck, 1955, p. 3 sv.

26. Sur Jean de Raguse, cf. G. THILS, *Le « Tract de Eccl. » de Jean de R.*, in *Angelicum* 17, 1940), 219-244 ; K. BINDER, *Der « Tract. de Eccl. » Johannes v. Ragusa u. die Verhandlungen des Konzils v. Basel mit den Hussiten, ibid.*, 28

la note de visibilité dans la définition de l'Église, s'agissant de celle qui se trouve en itinérance et en lutte ici-bas. C'est ce qu'a fait Jean de Raguse, par des approches successives :

> Ecclesia sancta catholica militans sive viatrix est universitas fidelium bonorum et malorum, orthodoxam fidem tenentium, in sacramentis ecclesiasticis societatem habentium [27].
>
> Divina namque ecclesia et Christi est, quae fidei et caritatis vinculo Christo capiti connectitur et eius Vicario legitimo per obedientiam secundum divinas leges et sanctae Matris Ecclesiae statuta subicitur [28].

La nécessité de parler ainsi de l'Église se renforça encore après l'épreuve de la Réforme. Les réformateurs avaient multiplié les formules ambiguës. Luther parle de l'Église *abscondita* (et même *invisibilis*), car elle est la « *communio sanctorum* » [29]. Zwingli voit l'Église vraie dans l'ensemble des élus que Dieu destine à la vie éternelle : elle est connue de Dieu seul. Dans l'Apologie de la Confession d'Augsbourg, écrit « symbolique » des luthériens, Mélanchton dit :

> Et haec ecclesia sola dicitur corpus Christi, quod Christus Spiritu suo renovat, sanctificat et gubernat, ut testatur Paulus, *Eph*, I. (C. 7.)

Mélanchton eût pu invoquer également des textes de S. Augustin. Il oriente évidemment le concept de *corpus Christi* en un autre sens que le social ou corporatif. Calvin a d'abord défini l'Église « la compagnie des fidèles que Dieu a ordonnés et

---

(1951), 30-54 ; B. DUDA, *Joannis Stojkovic de Ragusio O. P. († 1443) doctrina de cognoscibilitate Ecclesiae,* Rome, 1958 ; A. KRCHNAK, *De vita et operibus Ioannis de Ragusio (Lateranum,* N. S. XXVI, 3-4). Rome, 1960. — TURRECREMATA, *Summa de Ecclesia,* Éd. Venise, 1562. Énorme bibliographie : l'ouvrage de K. BINDER cité n. préc. est extrêmement riche et suffit. Le De Ecclesia de Jean Stojkevic de Raguse a été publié en 1983 par Fr. ŠANJEK *et al.* (*Croatica Christiana,* Fontes 1). Zagreb.

27. Au concile de Bâle : MANSI XXIX, 776 sv. ; DUDA, *op. cit.*, p. 67. Comp. *De Ecclesia*, in DUDA, p. 90.

28. *De Ecclesia*, vers la fin : DUDA, *op. cit.*, p. 112 ; comp. p. 102.

29. Voir *Von dem Papsttum zu Rom.*, 1520 (Weimar 6, 295, 296, 301) ; *Ad libr. Catharini... Resp.* (W. 7, 710, 722, 742) ; *De abrog. missa* (W. 8, 419-424) ; *Genesisvorlesung* (W. 42, 412). Cf. E. KINDER, *Die Verborgenheit der Kirche nach Luther,* in *Festgabe J. Lortz,* Wiesbaden, 1959, t. I, p. 173 sv.

élus à la vie éternelle »[30]. Il parle ensuite de l'Église visible, mais le concept présenté d'abord garde sa consistance et son attrait. Calvin emploie à plusieurs reprises l'expression « Église invisible ».

De tels thèmes, un tel vocabulaire, avaient tout un contexte : celui, en particulier, d'un rejet du sacerdoce particulier des ministres, du pouvoir des évêques et de l'autorité du pape. C'était le contexte concret du rejet, ou tout au moins de l'humiliation de plusieurs sacrements, traités en simples « cérémonies » plus ou moins suspectes. C'était enfin le contexte théologique dans lequel les attributs classiques de l'Église — une, sainte, catholique, apostolique — étaient réservés à une Église idéale de la foi, tandis que l'assemblée visible et organique, la société-Église, était traitée en réalité purement humaine.

La réaction catholique fut vive. Nous ne la suivrons pas chez les controversistes et apologistes de la première génération. On en saisit bien la marche progressive quand on compare, par exemple, l'explication de l'article 9 du Symbole dans deux rédactions successives du Catéchisme de S. Pierre Canisius[31]. Mais prenons cette réaction à son point d'arrivée, chez S. Robert Bellarmin, qui enseigne et rédige ses *Controverses* à partir de 1586. Certes Bellarmin n'est pas seul : d'autres grands noms illustreraient la même tendance : Thomas Stapleton, Grégoire de Valence, Stanislas Hosius, d'autres encore. Mais c'est Bellarmin

30. *Catéchisme,* Édit. Je sers, p. 43. Dans l'*Institution chrétienne* de 1536, il écrit :

« Primum credimus sanctam ecclesiam catholicam, hoc est universum electorum numerum, sive angeli sint, sive homines (Ph., I; Col., I) : ex hominibus sive mortui, sive adhuc vivant; ex viventibus, quibuscumque in terris agant, aut ubivis gentium dispersi sint : unam esse ecclesiam ac societatem et unum Dei populum cuius Christus, Dominus noster, dux sit et princeps, ac tamquam unius corporis caput. » (C. 2, 4 : *CR*, *Opera Calvini*, I, p. 72. Comparer éd. de 1559, IV, 1, 2). Ce texte pourrait se trouver chez S. Grégoire ou n'importe quel auteur médiéval.

31. *Viennae Austriae, 1555 : Ostendit ecclesiam, id est cunctorum Christifidelium congregationem, pro qua Christus in carne cuncta et fecit et pertulit eamque primo « unam esse in fide » fideique doctrina et administratione sacramentorum.*

Coloniae, 1566 : Ostendit ecclesiam, id est cunctorum Christi fidelium visibilem congregationem, pro qua Dei Filius hominis natura suspecta cuncta et fecit et pertulit. Eamque docet primum « unam esse et consentientem in fide » fideique doctrina et administratione sacramentorum, quaeque « sub uno capite suo Christo » unoque vices eius in terris gerente pontifice maximo regitur ac in unitate conservatur.

qui est le plus grand et a été le plus influent. Il définit ainsi l'Église :

> Coetus hominum eiusdem christianae fidei professione et eorumdem sacramentorum communione colligatus, sub regimine legitimorum pastorum ac praecipue unius Christi in terris vicarii, Romani Pontificis[32].

Cette définition de l'Église a eu un immense succès, malgré le mécontentement du gallican Jean Launoi qui, littéralement fidèle aux formulations anciennes, refusait d'introduire dans la définition essentielle de l'Église ce qui est seulement une circonstance de sa condition terrestre[33]. Nous avons retrouvé la définition bellarminienne, jusqu'au début du XXe siècle, chez des douzaines et des vingtaines d'auteurs. Mais Bellarmin précisait encore mieux la note de visibilité, dans une formule également célèbre et, à dire vrai, un peu lourde :

> Ecclesia est coetus hominum ita visibilis et palpabilis ut est coetus populi Romani vel regnum Galliae aut respublica Venetorum (*ibid.*).

Bellarmin est dominé par le souci de pouvoir désigner l'Église du Christ, et donc aussi de pouvoir dire qui est ou qui n'est pas membre de l'Église. Très conscient de l'option qu'il prend et de la démarche qu'il fait ainsi, il considère l'Église en tant que *corpus Christi*, non sous l'aspect d'identité mystique au Christ mais sous celui où elle est posée, en face du Christ, comme un certain *corpus* social[34]. Bref, il envisage délibérément l'Église,

32. *Controversiarum* lib. III : *De Ecclesia militante*, c. 2 (*Opera omn.*, éd. Naples, 1857, t. II, p. 75). Succès de l'œuvre : on en compte 16 éditions entre 1586 et 1608... Bellarmin donne aussi cette autre définition :
« Ecclesia est quaedam convocatio et congregatio hominum baptizatorum, qui eandem fidem et legem Christi sub Romani Pontificis obedientia profitentur » : *Christianae doctrinae latior explicatio*, Éd. Kempten, 1728, p. 57.

33. Dans son *Epist. XIII* à Nicolas Gatin (*Opera,* V/2, éd. Genève, 1731, p. 665-696), il oppose à Bellarmin 104 définitions traditionnelles de l'Église, dont 103 d'avant le concile de Trente.

34. Cf. S. Tromp, *De biformi conceptu cum « Christi mystici » tum « Corporis Christi mystici » in Controversiis S. Roberti Bellarmini,* in *Gregorianum* 23 (1942), 274-290. Voir aussi J. Beumer, *Die kirchliche Gliedschaft in der Lehre des hl. Robert Bellarmin,* in *Theol. u. Glaube* 38 (1948), 243-257.

même sous son titre de corps du Christ, sous l'angle des éléments externes, du visible et de l'extérieurement vérifiable. Il va très loin dans ce sens[35]. Dans la théologie de la Contre-Réforme, la doctrine du corps mystique n'est pas absente, mais elle se ressent de l'insistance mise sur les éléments externes et la nature proprement sociale de l'Église[36]. Tel est du moins le courant dominant. Il en existe un autre plus fidèle au spiritualisme augustinien et à son insistance sur la grâce et les réalités spirituelles intérieures : on pourrait le jalonner, par exemple, avec des noms comme ceux de Jean-Antoine Delphini O.F.M. († 1560)[37], de Louis Thomassin[38], de Quesnel[39], pour n'en citer que quelques-uns.

Les deux courants ont cheminé côte à côte. Celui de la Contre-Réforme, qu'on peut rattacher à Bellarmin était le plus fort. Le danger de concevoir le Corps mystique et l'Église dans des catégories, en somme, purement sociologiques et séculières, faisait écrire à Möhler, pour résumer l'inspiration de l'ecclésiologie qu'on lui avait enseignée et que lui-même avait d'abord partagée : « Gott schuf die Hierarchie und für die Kirche ist nun bis zum Weltende mehr als genug gesorgt. »[40]

Möhler lui-même proposait une tout autre vision de l'Église, qu'il voyait sous le signe du Saint-Esprit (*Die Einheit*, 1825), puis

35. Qu'on lise, par exemple, ce qui est dit (*op. cit.* et éd. cités, c. 10, p. 93) de ce qui suffit pour être pasteur légitime, jouissant de l'assurance des promesses divines.

36. Sur le destin du thème « corps mystique » au XVIe siècle et chez les théologiens de la Contre-réforme, on verra J. Willen, *Zur Idee des Corpus Christi mysticum in der Theologie des 16. Jahrh.*, in *Catholica* 4 (1935), 75-86 (les controversistes) ; E. Mersch, *op. cit.* (*supra*, n. 1), 2e éd., 1936, t. II, p. 174, 183, 218, n. 2 ; J. Udvardy, *Doctrina Francisci Toledo de Corpore Christi mystico*, Coloczae, 1939 ; M. Midali, *Corpus Christi mysticum apud Dominicum Bañez eiusque fontes* (*Anal. Gregor.*, 116). Rome, 1962.

37. Cf. A. Garani, *De Ecclesiae natura et constitutione Doctrina Ioannis Antonii Delphini OFM Conv. (1506-1560), eximii theologi in Concilio Tridentino*, Padoue, 1943.

38. Cf. P. Nordhues, *Der Kirchenbegriff des Louis de Thomassin...*, Leipzig, 1958.

39. Cf. L. Cognet, *Note sur le P. Quesnel et sur l'ecclésiologie de Port-Royal*, in *Irénikon*, 1948, p. 326-332 et 439-446.

40. *Theologische Quartalschrift*, 1823, p. 497 dans un compte rendu de Katerkamp :
« Dieu a créé la hiérarchie et ainsi il a pourvu plus que suffisamment aux besoins de l'Église jusqu'à la fin du monde. »

davantage de l'Incarnation (*Die Symbolik*)[41]. Nourri des Pères anciens, Möhler restaurait 1° une considération pneumatologique, et pas purement christologique, du Corps mystique. Ce point fort délicat mériterait à lui seul une étude. 2° Une anthropologie, une considération de la vue du Corps mystique par le dedans, par ce qu'en réalise l'homme chrétien vivant dans la communion de ses frères. On pourrait, dans les catégories de l'École, dire que Möhler a vu l'Église au plan de sa *res* ou de l'ontologie chrétienne avant de la considérer au plan du *sacramentum* ou des structures externes. 3° En conséquence, l'affirmation d'une activité de tout le corps ecclésial animé par l'Esprit du Christ.

Ainsi, dans la première moitié du XIXe siècle, les deux courants que nous avons brièvement décrits continuaient à coexister : les uns voyaient l'Église d'abord comme mystère de grâce et œuvre de l'Esprit (à la limite, un F. Baader, sympathique aux Slavophiles russes), les autres, auxquels J. de Maistre prêtait sa parole éloquente, parfois même un peu grandiloquente, voyaient l'Église principalement comme structure juridique d'autorité[42]. Les ultra-montains étaient leurs alliés, quitte à proposer, à côté d'une ecclésiologie de ce type, une « spiritualité » donnant sa place au Saint-Esprit (Manning).

Mais voici que Pie IX réunissait le concile du Vatican. Il se trouva que le théologien auquel fut confiée de façon principale la rédaction du projet de texte sur l'Église, *schema de Ecclesia*, Clément Schrader[43], avait subi l'influence, non seulement de la

---

41. De la très considérable bibliographie concernant l'ecclésiologie de Möhler et de l'école de Tubingue, citons seulement J.-R. GEISELMANN, *Introd.* à l'édition critique de *Die Einheit*, Köln-Olten, 1956 ; *Les variations de la définition de l'Église chez J.-A. Möhler...*, in *L'Ecclésiologie au XIXe siècle (Unam Sanctam,* 34). Paris, 1960, p. 141-195 ; *Der Wandel des Kirchenbewusstseins und der Kirchlichkeit in der Theologie J.-A. Möhlers,* in *Sentire Ecclesiam. Festgabe H. Rahner,* Freiburg, 1961, p. 531-675 ; S. JAKI, *Les tendances nouvelles de l'ecclésiologie*, Roma, 1957.

42. Voir notre étude *L'ecclésiologie de la Révolution française au concile du Vatican, sous le signe de l'affirmation de l'autorité*, in *L'Ecclésiologie au XIXe siècle*, p. 77-114.

43. Voir, outre S. JAKI cité, n. 40, H. SCHAUF, *De corpore Christi mystico sive de Ecclesia Christi Theses. Die Ekklesiologie des Konzilstheologen Clemens Schrader S. J...* Freiburg, 1959 ; W.F. DEWAN, *Preparation of the Vatican Council's schema on the Power and Nature of the Primacy*, in *Ephem. Theol.*

tradition bellarminienne, mais de Möhler : ceci grâce à son maître, dont il devint ensuite l'ami et le collaborateur, le P. Passaglia [44]. Passaglia avait une notion du Corps mystique très christologique et anthropologique [45]. C'est sans doute sous son influence que Schrader en vint à définir l'Église comme Corps du Christ. Le schéma *De Ecclesia* remis aux Pères conciliaires le 21 janvier 1870 commençait par un « *caput primum : Ecclesiam esse corpus Christi mysticum* », où se trouvait engagée une anthropologie chrétienne [46]. Certes, on passait vite à une considération de l'Église comme institution publique et société, à l'affirmation de la visibilité, à l'énoncé des pouvoirs hiérarchiques et, pour finir, de la primauté romaine. Il reste que l'Église était d'abord définie christologiquement, surnaturellement et anthropologiquement comme *Corpus Christi mysticum*. Une annotation précisait qu'on voulait ainsi réfuter dès le début l'accusation protestante (cf. Jurieu) selon qui les catholiques pouvaient définir l'Église sans mentionner la charité [47].

La réaction des évêques fut mitigée, et même parfois critique [48]. Si beaucoup se déclaraient contents, plusieurs repro-

---

Lovan., 36 (1960), 23-56 ; J.-P. TORRELL, *La théologie de l'épiscopat au premier concile du Vatican (Unam Sanctam,* 37), Paris, 1961 ; U. BETTI, *La constituzione dogmatica « Pastor aeternus » del Concilio Vaticano I,* Rome, 1961 ; F. VAN DER HORST, *Das Schema über die Kirche auf dem I. Vaticanischen Konzil,* Paderborn, 1963.

44. Cf. H. SCHAUF, *Carl Passaglia und Clemens Schrader. Beitrag zur Theologiegeschichte des 19. Jahrhunderts,* Rome, 1938, et *op. cit., supra* (n. préc.) ; A. KERKVOORDE, *La théologie du « Corps mystique » au XIXe siècle*, in *Nouv. Rev. théol.*, 67 (1945), 417-430 et l'Introd. à M.-J. SCHEEBEN, *Le mystère de l'Église et de ses sacrements (Unam Sanctam*, 15), Paris, 1946.

45. Il termine le chapitre de son *De Ecclesia Christi* intitulé *Metaphora corporis* par la définition suivante :

> « *corpus Christi mysticum, id est eorum omnium coetum in quo se Christus manifestat suamque vitam explicat, per quem conspicuus inter homines degit, et per quem salutaris oeconomiae opus ita profert atque continuat, ut per eum homines a captivitate liberet, veritatem doceat, iustitiam donet et ad sempiternam coronam perducat.* » (Ratisbonne, 1853, I, p. 38.)

46. MANSI LI, 539 : E. MERSCH, *op. cit.*, et éd. cit. II, p. 350 sv.

47. MANSI LI, 553-554.

48. Voir par exemple les remarques de Mgr MAGNOSCO (n. 2*b* : MANSI LI, 738-739), Mgr RAMADIÉ (n. 43, col. 741), Mgr KETTELER (n. 63, col. 745), Mgr FAULI (n. 95, col. 751), Mgr DUPANLOUP (n. 132, col. 760), Mgr IDÉO (n. 140, col. 763). Outre les études indiquées *supra* (n. 41), cf. E. MERSCH, *op. cit.*, p. 353-357 ; J. BEUMER, *Das für das Erste Vatikanische Konzil entworfene Schema De Ecclesia im Urteil der Kirchenväter,* in *Scholastik* 38 (1963), 392-401.

chaient à la notion de *Corpus mysticum* d'être celle d'un « *corpus per similitudinem* » (Mgr Idéo) de relever de la spiritualité, non de la dogmatique (Mgr Ramadié), voire d'être quelque chose de janséniste ou de protestant. Ils estimaient que cette définition de l'Église par un aspect mystérieux et caché ne répondait pas aux requêtes du temps, qui voulaient une définition *ab externis* (Mgr Dupanloup). Le cardinal Ganella, avec onze évêques, insistait sur la visibilité, niée par les protestants [49] ; de même Mgr Spilotros [50]. Le Général des Carmes de l'antique Observance, Savini, disait craindre que la notion ne favorisât l'idée protestante d'Église invisible [51]. Finalement, certains souhaitaient que l'on partît plutôt de l'idée de *regnum* [52], et le cardinal Trevisanato, de Venise, avec treize autres évêques, proposait un nouveau texte, bien bellarminien :

> Ecclesia Christi, quae in terris militat, est societas hominum eiusdem christianae fidei professione et eorumdem sacramentorum communione colligata, sub regimine legitimorum pastorum ac praecipue Summi Pontificis Romani [53].

Ces réactions manifestent qu'il existait alors dans beaucoup d'esprits un certain divorce, une séparation regrettable, entre un abordage de l'Église comme société visible et organisée, et une approche de l'Église comme Corps mystique. Dans ce divorce se reflétait celui qu'on pouvait depuis longtemps déplorer entre théologie et spiritualité, si ce n'est entre dogmatique et pastorale. Les accusations portées ne valaient pas, réellement, contre le texte de Schrader, et encore moins contre son enseignement ecclésiologique. La situation cependant, était telle.

Les oppositions qui s'étaient ainsi révélées ont continué à exister dans la théologie catholique de l'Église ou du Corps mystique. Redisons-le : nous ne prétendons nullement retracer ici l'histoire des idées ecclésiologiques entre 1870 et 1943 [54]. Nous

---

49. N° 57, col. 744.
50. N° 59, col. 744.
51. N° 105, col. 753. Mgr Aguzzo proposait d'expliquer que l'Église n'a pas pour membres seulement les « *veri adoratores* » (n. 135, col. 762).
52. N° 111, col. 755.
53. N° 133, col. 761.
54. Outre S. Jaki (cf. n. 40), on peut voir les Histoires de J. Bellamy (*La théol. cathol. au* XIX*e s.*, Paris, 1904) ; E. Hocedez (*Hist. de la théol. au* XIX*e s.*, 3 vol.).

nous contenterons d'évoquer quelques expressions significatives des deux courants dont nous avons décelé l'existence. Celui qui considère l'Église *ab externis* a dominé d'autant plus l'enseignement clérical que celui-ci ne connaissait pas de traité *théologique* de l'Église, mais seulement un traité apologétique dominé par la question : où se trouve l'autorité à laquelle les hommes doivent se soumettre en matière de religion[55] ? Mais peu avant la guerre de 1914 déjà, en grande partie, croyons-nous, grâce au mouvement liturgique commençant, grâce aussi à l'effort de restauration doctrinale poursuivi par les papes Léon XIII et S. Pie X, s'annonçait un intérêt nouveau pour les aspects plus intérieurs de la réalité ecclésiale. Le livre de J. Anger, *La doctrine du Corps mystique de Jésus-Christ...*, lancé dans le public en 1929, est de 1910, *Le mystère de l'Église* du P. H. Clérissac, de 1917. C'est dans l'entre-deux-guerres, surtout à partir de 1930, que, fruit d'un intérêt fervent, la considération de l'Église comme Corps mystique s'est imposée aux esprits et les a conquis[56].

Mais le danger que nous avons reconnu comme possible dans une transposition pure et simple, en théorie *de Ecclesia*, des énoncés christologiques de S. Thomas, s'est renouvelé à l'occasion de telle ou telle publication. On pourrait tirer en ce sens telle formule du P. Mersch, dont cependant on trouvait aisément la contrepartie qui rétablissait l'équilibre[57]. Le Corps mystique

55. Malgré ses insuffisances, l'ouvrage de J. RANFT (*Die Stellung der Lehre von der Kirche im dogmatischen System*, Aschaffenburg, 1927) reste encore utile et instructif.

56. Nous avons suivi cette montée du thème dans la *Rev. Sc. phil. théol.*, le *Bulletin thomiste*, etc. (voir *Sainte Église...*, Paris, 1963, p. 445-696). Cf. outre S. JAKI, Gr. CERIANI, *Orientamenti teologici del Novecento*, Milan, 1938, et *Dottrina e vita nel Corpo mistico* ; J. BLUETT, *The Mystical Body. A Bibliography : 1890-1940*, in *Theological Studies* 3 (1942), 260-289 ; E. MURA, *La dottrina del Corpo mistico*, in *Problemi e Orientamenti*, Milan, 1957, t. II, p. 396-405 ; F. HOLBÖCK, *Das Mysterium der Kirche in dogmatischer Sicht*, in *Mysterium — Kirche*, hrsg. v. F. HOLBÖCK u. Th. SARTORY, Salzburg, 1962, p. 201-346 (p. 201-210).

57. Voir le texte cité *supra* n. 18 ; *Le Corps mystique du Christ. Et. de théol. hist.*, 2e éd., t. II, p. 232 sv. (l'équilibre est donné p. 233, n. 4). Citons encore R. TREMBLAY, O.P., *Corps mystique et Église visible*, in *Théologie* (Montréal) 7 (1948), 35-43 (« Les païens de bonne foi sont membres du Corps mystique sans être membres de l'Église visible ») ; V. MOREL O. F. M., *Le Corps mystique du Christ et l'Église catholique romaine*, in *Nouv. Rev. théol.*, 70 (1948), 703-727 (cf. p. 709, 711).

serait-il simplement l'extension de la grâce, la communion des saints ?

Le danger était signalé, voire dénoncé, dans un remarquable article du P. E. Przywara : *Corpus Christi mysticum — Eine Bilanz*[58]. Il ne faut pas, disait le célèbre jésuite, concevoir l'Église sur le type du Corps mystique : entendons, un Corps mystique conçu comme le domaine de la grâce ou, de façon romantique, comme identité vitale avec le Christ. Il faut au contraire concevoir le Corps mystique sur le type de l'Église : entendons, une société visible, hiérarchisée, réglée par un Droit. A Rome, d'autre part, le P. S. Tromp avait, depuis plusieurs années, sensiblement au même moment que le P. Mersch, publié un important petit livre, *Corpus Christi quod est Ecclesia. I. Introductio generalis* (1937). Le titre était déjà un programme. La thèse dogmatique se formulait ainsi : « *Viatoribus, Corpus Christi mysticum est Ecclesia catholica romana.* »

Le *Viatoribus* permettait au P. Tromp d'éviter l'intempérance d'un J.-C. Gruden, qui arrivait à soutenir que la Vierge Marie et les saints ne sont plus membres du Corps mystique, puisqu'ils n'appartiennent plus à l'Église catholique romaine...[59].

C'est dans ces conditions d'une attention fervente donnée au thème du Corps mystique que Pie XII publia, le 29 juin 1943, la grande encyclique doctrinale *Mystici Corporis Christi* (= *MC*)[60]. Ce n'est pas le lieu ici d'en détailler les richesses dogmatiques et spirituelles. Du point de vue auquel nous nous sommes placés, deux points sont à considérer : la notion de « corps » mise en œuvre, l'enseignement sur l'appartenance au Corps mystique, *de*

58. In *Zeitschrift für Aszese u. Mystik*, 15 (1940), 197-215.

59. J.C. Gruden, *The Mystical Christ. Introd. in the Study of the supernatural Character of the Church*, Saint-Louis, 1936, cf. p. 160. — Même position que celle du P. Tromp chez F. Grivec, *Misticno telo Kristovo*, 1936. Le P. Mersch notait justement, au sujet de ces auteurs :

« La raison de leur opinion me semble être qu'ils voient en premier lieu dans le "Corps" une entité sociale visible, au lieu d'y voir en premier lieu le Christ continué. Dans l'expression « Corps mystique du Christ », ils mettent l'accent sur le premier mot, tandis que nous le mettrions sur les deux derniers. » (*La théol. du C. Myst.*, 1944, t. II, p. 195, n. 3).

60. *Acta Ap. Sedis* 35 (1943), 193-248. Le P. S. Tromp a donné une édition de l'encyclique munie d'abondantes et très utiles notes documentaires : Univ. Grégoriana. *Textus et Documenta. Series theol.*, 26, Rome, 1943 ; 2e éd., 1948.

membris. C'était du reste les deux articles principaux sur lesquels *MC* apportait un enseignement neuf et, au sens fort du mot, décisif. Bien sûr, il n'était neuf que relativement. Sans remonter jusqu'à la bulle *Unam Sanctam* de Boniface VIII, Léon XIII avait exprimé une doctrine semblable dans *Satis cognitum*[61]. La nouvelle encyclique, cependant, formulait cette doctrine d'une manière plus systématique, rigoureuse, approfondie, et elle en tirait des conséquences non encore formulées jusque-là. De plus, en 1950, l'encyclique *Humani generis* se chargeait de désigner et de souligner le point décisif, en urgeant sur une obligation de docilité ou d'obéissance[62].

Ce point était l'identité rigoureuse mise par *MC* entre le Corps mystique du Christ et l''Église catholique romaine. L'histoire dont nous avons retracé les principaux moments avait connu une sorte de divorce, ou tout au moins un danger de séparation entre la communion invisible de grâce et l'organisme visible. *MC* unissait les deux, S. Thomas et Bellarmin, un peu comme Michel Ange avait construit S. Pierre de Rome en unissant la basilique de Constantin et le Panthéon. Plusieurs siècles de théologie trouvaient ainsi leur conclusion. Ce que S. Paul appelle le Corps du Christ n'est pas un autre sujet que l'Église hiérarchisée et visible. A la racine de cette affirmation il y avait la façon de concevoir le « corps ». L'encyclique prenait cette expression pour elle-même plus qu'elle n'en cherchait le contenu dans l'ensemble des textes de S. Paul. Elle s'arrêtait à une définition de type organico-sociologique. L'Église est un corps social visible, fait de divers organes qui contribuent à la vie les uns des autres. Le Corps mystique est *ce* corps fondé par le Christ qui en demeure le Chef, et animé par son Esprit. Il s'ensuivait une identité entre le Corps mystique et l'institution ecclésiale historique et visible. Mais également cette conséquence logique : seuls les membres de l'Église catholique, apostolique et romaine peuvent être dits effectivement (*reapse*) membres du Corps mystique[63]. Les

61. 25 juin 1896 : *Acta S. Sedis* 28 (1895-1896), p. 710 sv.
62. *Acta Ap. Sedis* 42 (1950), 571.
63. *« Sicut in natura rerum non ex qualibet membrorum congerie constituitur corpus, sed organis, uti aiunt, instructum sit oportet, seu membris, quae non eundem actum habeant ac sint apto ordine composita : ita Ecclesia ea maxime de causa Corpus dicenda est…,* etc. » (p. 200) ; *« In Ecclesiae autem membris reapse ii soli annumerandi sunt… »* (p. 202.)

autres, même s'ils vivent intérieurement de la foi et de la charité infuses — ce dont *MC* admettait la possibilité — seront dits simplement référés au Corps mystique, « *ad... ordinentur* », car, ce corps étant l'Église catholique romaine, ils en sont évidemment séparés[64].

L'encyclique *MC* fut reçue avec une docile et fervente attention par les fidèles et les théologiens catholiques. Sur les deux points les plus délicats, cependant, sur lesquels portait précisément la relative nouveauté doctrinale de l'encyclique, une certaine insatisfaction se manifesta, que les années n'apaisèrent point. On s'en rendait compte au fait que, sur la façon de concevoir le corps (du Christ), des études ne cessaient de paraître, qui cherchaient dans une ligne assez différente de celle de *MC*, et que les commentaires du fameux « *ordinentur ad* » n'aboutissaient pas à des conclusions répondant au sentiment que l'on avait de la réalité des choses[65]. Cette insatisfaction devait encore s'exprimer au Concile dès la première période (décembre 1962) par la voix des cardinaux Frings et Liénart[66].

L'encyclique avait ramené le contenu de *corpus (Christi)*, σῶμα (τοῦ χριστοῦ), à l'aspect d'organisme social différencié. Or il est certain que cet aspect se trouve chez S. Paul ; *MC* citait en ce sens *Rom.* XII, 4. Les exégètes connaissaient bien ce sens, ils lui faisaient une place, mais ils en connaissaient d'autres, qui leur paraissaient même plus fonciers, plus décisifs pour la conception paulinienne du Corps du Christ. C'était, d'un côté, le sens sémitique du « corps » comme manifestation de la personne[67],

---

64. « *...etiansi inscio quodam desiderio ac voto ad mysticum Redemptoris Corpus ordinentur...* » : p. 243.

65. Indications sur cette très abondante littérature : bibliographie des *Eph. Theol. Lovan.*, du *Bulletin thomiste* (cf. notre *Sainte Église*, Paris, 1963, p. 601, 642, 649 sv.), de U. VALESKE, *Votum Ecclesiae*, München, 1962, 1. *Teil*, p. 217-250 et 2. *Teil*, p. 47 sv.

66. Voir *La Croix* des 4 et 6 déc. 1962 ; Ch. MOELLER, *Le ferment des idées dans l'élaboration de la Constitution*, in *L'Église de Vatican II*..., publ. sous dir. G. BARAUNA, t. I (*Unam Sanctam, 51b) 85-120 (p. 91)*.

67. Cf. pour une part J.A.T. ROBINSON, *The Body : a Study in Pauline Theology*, London, 1952 (trad. frse *Le corps*, Lyon, Châlet, 1966) ; W. HILLMANN, *Die Kirche in der ntl. Glaubensverkündigung*, in *Liturgie u. Mönchtum*. 3. Folge H. 17. (Maria Laach, 1955), 18-33 ; B.M. AHERN, *The Christian's union with the Body of Christ in Cor., Gal. and Rom.*, in *The Catholic Biblical Quarterly* 23 (1961), 199-209. Comp. J. BONSIRVEN, *L'Évangile de Paul*, Paris, 1948, p. 222-223.

d'un autre côté, le sens qu'on peut appeler anthropologico-mystique ou sotériologique : il existe une identification mystique de chacun avec le corps personnel du Christ, identification qui s'accomplit principalement par l'action que le Christ exerce sur nous dans le baptême et l'Eucharistie[68]. Il existait encore, même chez les catholiques, d'autres interprétations, celle dite de la personnalité corporative, par exemple. On risquait ainsi d'avoir un concept dogmatiquement normatif, vrai dans ses limites, mais limité, et qui laissait à côté de lui des interprétations sérieuses, auxquelles le bien de la recherche voulait qu'on laissât la liberté de se proposer, et qui avaient même la préférence d'excellents spécialistes.

Si l'on s'intéressait à la question des membres du Corps mystique, on rencontrait un vrai champ de bataille. Que signifiait « ordonnés au Corps mystique » ? L'ensemble des chrétiens, voire même des hommes se trouvant en dehors des limites visibles de l'Église catholique, mais justifiés, et que le Christ s'était unis par la foi et la charité infuses, n'étaient-ils pas, de ce fait, membres du Christ ? Et ne devait-on pas distinguer le cas des baptisés non catholiques, du cas des non-baptisés justifiés ? Les arguments se croisaient, les études se multipliaient (voir *supra*, nn. 55 et 63) ; presque personne n'était à l'aise.

Survint le second concile du Vatican. Le travail des commissions n'est pas du domaine public. Du moins son résultat nous est-il connu en tant qu'il s'est inscrit dans des textes. La Commission théologique préparatoire, nommée par le pape Jean XXIII, avait élaboré un Schéma de constitution dogmatique sur l'Église[69], dont le chap. I était intitulé : Nature de l'Église

68. Interprétation (chaque auteur ayant ses options propres sur tel point particulier) de L. CERFAUX (*La théologie de l'Église suivant S. Paul.* 1re éd., 1942 ; 3e éd. (*Unam Sanctam*, 54). Paris, 1965, p. 226-237, 275-289, 313-319) ; P. BENOÎT, *Corps, tête et plérôme d'après les épîtres de la captivité*, in *Rev. Bibl.* 63 (1956), 5-44 (repr. in *Exégèse et Théologie*, Paris, 1961, t. II, p. 107-153). Nous laissons ici de côté d'autres positions tenues plutôt par certains exégètes protestants : celle qui attribue au Christ glorifié un mode d'être lui permettant d'être en nous et d'être pour nous comme un milieu de vie (A. Deissmann, Tr. Schmidt) ; celle qui réfère l'expression au mythe gnostique et voit l'Église comme la dilatation (A. Käsemann, H. Schlier) à tous les croyants du corps personnel du Christ offert et ressuscité.

69. Le texte en a été rendu public, en une traduction française, dans *Documents secrets du Concile, Première session*. Textes prés. par C. FALCONI, Monaco, Éd. du Rocher, 1965.

militante. Son n° 6 avait pour sous-titre « L'Église société est le corps mystique du Christ », son n° 7 « L'Église catholique romaine est le Corps mystique du Christ ». La thèse de l'identité était donc réaffirmée : « Corps mystique » et Église catholique sont identiquement le même sujet. Pourtant on discernait, dans ce sujet unique, deux aspects qui étaient comparés à ce que sont, dans le Verbe incarné, la nature divine et la nature humaine : celle-ci est l'instrument de celle-là. De même « l'Église » était dite « servir à l'Esprit du Christ dans l'édification du Corps du Christ ». Le même sujet était donc désigné comme Église et comme Corps du Christ selon deux de ses aspects comparables à ce que sont respectivement le *sacramentum* et la *res* dans les sacrements. Mais peut-être poussons-nous trop loin la distinction. Quant aux « membres », il en était question, non à cet endroit mais dans le chapitre suivant (ch. II) intitulé « Des membres de l'Église militante et de sa nécessité pour le salut ». La doctrine de *MC* y était substantiellement reprise [70], mais non l'expression « *ordinentur ad* » au sujet des chrétiens non catholiques. La situation ecclésiale de ceux-ci était même décrite dans les termes que reproduira, en somme, *Lumen gentium* (n° 15), en ordonnant mieux l'énumération des éléments réels de communion et en distinguant soigneusement le cas des baptisés (n° 15) du cas de ceux qui ne le sont pas (n° 16). On retrouvait encore le terme de « membre » plus loin, au chapitre XIe sur l'Œcuménisme (n° 48), mais sans qu'il y traduise une thèse très précise.

Il ne peut s'agir ici de retracer l'histoire du texte consacré au Corps mystique à travers les états successifs de la constitution dogmatique de Vatican II sur l'Église. Aussi en venons-nous

70. On lisait au n° 9 :

« Quoiqu'il existe plusieurs relations réelles dans l'ordre juridique et sacramentel, et qu'elles puissent même exister dans l'ordre mystique, grâce à quoi tout baptisé est lié à l'Église, néanmoins selon une très antique tradition ceux-là seuls sont appelés membres de l'Église au sens véritable et propre, qui forment l'Église elle-même, en tant que une et indivisible, indéfectible et infaillible, dans l'unité de la foi, des sacrements et de la direction. Doivent donc être appelés véritablement et proprement membres de l'Église ceux qui, lavés au baptême de la régénération, professant la vraie foi catholique et reconnaissant l'autorité de l'Église, s'unissent en un assemblage visible avec son chef, c'est-à-dire le Christ qui le dirige par son Vicaire et que des fautes d'une extrême gravité n'ont pas séparés de l'union avec le Corps mystique. »

d'emblée au n° 7 de *Lumen gentium* tel qu'il a été solennellement admis et promulgué le 21 novembre 1964. Chose curieuse, ce texte a été peu commenté [71]. Il s'inscrit au terme de l'histoire que nous avons évoquée, et ce fait lui-même rentre dans sa signification.

Il comporte huit paragraphes, qui se suivent dans cet ordre : 1. Par son Saint-Esprit, le Christ pascal fait des hommes, mystiquement, comme son corps. 2. Par le baptême et l'Eucharistie nous sommes unis de façon mystérieuse, mais réelle, au Christ pascal. Par ces deux premiers alinéas, nous sommes plutôt dans l'ambiance des études de Mgr Cerfaux et du P. Benoît. Le troisième paragraphe nous rapproche de *MC* : 3. Nous formons un seul corps au sens social qu'on trouve en *I Cor.*, XII, dans la diversité des dons et des fonctions. 4. De ce corps, le Christ est le Chef. Cet alinéa, et les paragraphes suivants, décrivent les principes transcendants qui unissent et animent le corps et lui communiquent sa dignité surnaturelle. Le corps n'est ce qu'il est que parce qu'il est *du Christ*. Ce point sur lequel le P. Mersch souhaitait que l'on mît l'accent (cf. n. 57) et que *MC* avait développé, est ici tout à fait décisif. 5. Tous les membres doivent se conformer au Christ en mort et en résurrection. 6. C'est lui qui distribue dans le corps, pour sa croissance, ministères et services. Les ministères ne sont pas réduits aux fonctions instituées ou hiérarchiques. 7. Le même Esprit habite dans le Chef et dans les membres ; il est comparé, traditionnellement, à l'âme de ce corps [72]. 8. L'Église est Épouse et Plérôme, elle tend à la plénitude de Dieu.

---

71. Il est très souvent cité dans *L'Eglise de Vatican II*, publi. sous dir. G. Barauna (*Unam Sanctam*, 51*b* et *c*) : voir les Tables p. 1393, 1419, 1421 (enc. *MC*), mais aucune étude ne lui est expressément consacrée. On peut dire aujourd'hui de Herwi Rikhof, *The Concept of Church. A Methodological inquiry into the of Metaphors in Ecclesiology*. London, 1981.

72. Faisons deux remarques au sujet de ces alinéas : 1° Dans un texte qui se veut et qui est très proche des assertions scripturaires, on a très justement attribué aux saints Pères la comparaison de l'âme ; noter aussi la discrétion de la formule « *ut Eius officium... comparari potuerit* ». 2° L'expression « *qui unus et idem in Capite et in membris existens* » est empruntée à S. Thomas, qui en use plusieurs fois (cf. surtout *III Sent.* d. 13, q. 2, a. 2. 1, q^a 2) pour exprimer une théologie (pneumatologie) très profonde, sur laquelle on pourra lire E. Vauthier, *Le Saint-Esprit principe d'unité de l'Église d'après S. Thomas d'Aquin*..., in *Mélanges de Science relig.*, 5 (1948), 175-196 ; 6 (1949) 57-80.

Ce texte est aussi peu « systématique » que possible. Il suit et cite les principales assertions de S. Paul. Il est synthétique. On le croirait volontiers rédigé par des exégètes plutôt que par des dogmaticiens. Pourtant il ne dirime pas plus les questions qui divisent ceux-là que celles qui séparent ceux-ci. Il emploie le mot « membre », mais sans dépasser le sens que le terme a chez S. Paul ou dans le langage courant. Plus loin dans *Lumen gentium*, là où le mot pourrait intervenir avec un sens technique, il ne se trouve pas [73]. Nous savons qu'on l'a évité intentionnellement, car il donnait prise à des discussions et à des difficultés inextricables. Dans ces conditions, comment apprécier la conformité de l'enseignement de *Lumen gentium* avec celui de *MC* ? Il nous faut, pour répondre à cette question, passer du n° 7 au n° 8. Ce n° 8 assume la matière des n°s 6 et 7 du schéma de la commission préparatoire dont nous avons reproduit les intitulés plus haut. Notre n° 8 du texte définitif porte un titre plus modeste : simplement « l'Église, à la fois visible et spirituelle ».

Ce titre exprime très exactement l'intention du texte. Il s'agit d'affirmer qu'on ne peut opposer, pas même séparer société hiérarchique et Corps mystique du Christ, assemblée visible et communauté spirituelle, Église terrestre et Église dotée des dons célestes. Sous ces trois couples de termes on ne doit pas voir deux « choses » ou deux sujets, mais « une seule réalité complexe, faite d'un double élément humain et divin ». Référence est faite ici à *MC* et à *Humani generis*. Leur doctrine est donc reprise sur un point essentiel, à savoir l'unicité de la réalité qu'on peut appeler, soit Corps mystique, soit Église. Sur ce point, l'ambiguïté qu'on pouvait relever chez S. Thomas et dont on l'a de fait accusé [74] est

73. Il s'agit du chap. II, *De populo Dei*, n°s 14 et 15. Pour les fidèles catholiques, on s'exprime en termes de « Ecclesiae societati incorporantur » (n° 14) et l'on dépasse une pure définition «*ab externis* » (« *plene... incorporantur qui Spiritum Christi habentes* ») ; pour les chrétiens non catholiques, on s'exprime en termes de « conjonction » et l'on évite l'idée d'appartenance *voto* (n° 15) ou d'*ordinatio ad*.

74. Ainsi A. MITTERER, *Geheimnisvoller Leib Christi nach St. Thomas v. Aquin und nach Papst Pius XII*, Vienne, 1950 (notre *CR* : *Sainte Église*, p. 649 sv.). On ne peut accuser S. Thomas que si l'on oublie que III^a, q. 8 est un chapitre de christologie, non d'ecclésiologie. Avant Mitterer et même avant *MC*, le P. M.-D. KOSTER avait critiqué le concept de « Corps mystique » comme « préscientifique », et proposé de lui préférer celui de « Peuple de Dieu », parce qu'il entendait « Corps mystique » dans le sens de III^a, 8, 3 (*Ekklesiologie im Werden*, Paderborn, 1940).

définitivement levée ; la possibilité de prêter un appui à quelque thèse d'Église invisible, est écartée. Bellarmin a satisfaction. Au fond, « Église » et « Corps mystique » désignent la même réalité mais en en suggérant deux aspects différents : « Église », l'aspect d'institution visible posée de façon stable dans le monde ; « Corps mystique », l'aspect de grâce donnée aux personnes, l'action salutaire du Christ. Mais la question demeure de savoir si *Lumen gentium* identifie pour autant strictement, c'est-à-dire au sens exclusif, cette Église-Corps du Christ avec l'Église catholique romaine, ce que faisait *MC*.

On peut en douter quand on constate que, non seulement l'attribut de « romaine » n'intervient pas — mais ceci n'a guère de portée, puisqu'on parle de l'Église « gouvernée par le successeur de Pierre et les évêques qui sont en communion avec lui » —, mais qu'on évite de dire que seuls les catholiques sont membres du Corps mystique. Mieux : on nous dit que l'Église du Christ et des Apôtres *subsistit in*, se trouve dans l'Église catholique[75], « bien qu'en dehors de son organisme visible se trouvent de nombreux éléments de sanctification et de vérité ». Il n'y a donc pas une adéquation stricte, *c'est-à-dire exclusive*, entre l'Église-Corps du Christ et l'Église catholique. Vatican II admet, au fond, que les chrétiens non catholiques sont membres du Corps mystique, et non simplement *ordinati ad*. Les catégories utilisées dans le décret sur l'œcuménisme, et aussi bien dans de nombreux documents ou discours de S. S. Paul VI, sont celles d'appartenance radicale à l'unique Église par le baptême, et de

75. « Se trouve » : tel est l'équivalent de *subsistit in* que propose Mgr G. PHILIPS (*L'Église et son mystère au Deuxième concile du Vatican*..., t. I, Paris, Desclée, 1967, p. 119). La traduction publiée dans *Unam Sanctam*, 51*a* (éd. revue, 1966) a « existe dans ». La traduction du card. GARRONE (Éd. du Centurion et Éd. du Vitrail) présente un curieux et significatif chassé-croisé verbal : « Cette Église..., c'est dans l'Église catholique qu'elle se trouve (*subsistit in*)... bien que des éléments nombreux... subsistent hors de ses structures (*inveniuntur*). » L'expression *subsistere in* revient dans le décret sur l'œcuménisme, n° 4, 3 et dans la déclaration sur la liberté religieuse, n° 1, 2. Chr. BUTLER, *The Theology of Vatican II*, London, 1967, p. 70, y voit une préférence voulue à la place de « est » : « We have there the measure of the constitution's advance upon *Mystici corporis*, and a foundation for the Decree on Œcumenism and for other elements of the Council's teaching and proposals. An exclusive material identification of the Church and the Roman Catholic communion is carefully avoided. »

communion subséquente imparfaite [76]. Ces catégories permettent de reconnaître quelque chose de l'Église, et donc du Corps mystique, en dehors des limites de la communion catholique.

Il résulte de tout cela que l'enseignement principal de *MC* est repris dans *Lumen gentium*, à savoir l'inséparabilité et, si l'on pouvait hasarder ce mot, l'inopposabilité de l'Église hiérarchisée et visible et du Corps mystique du Christ. Repris au sens positif, cependant, cet enseignement ne nous semble pas repris au sens exclusif que lui donnait *MC* : il ne l'est, ni pour la façon de définir le Corps (du Christ), ni pour l'affirmation d'une identité stricte, c'est-à-dire exclusive, entre Corps mystique et Église catholique romaine, ni enfin dans la façon d'exprimer l'appartenance au Corps mystique, avec une idée de « membre » qui ne connaissait qu'une alternative : *reapse* ou *voto* (et *ordinati ad*), sans faire d'ailleurs de distinction entre baptisés non catholiques et non-baptisés.

76. Voir décret *Unitatis redintegratio*, n°s 3 ; 4, 10 ; 14, 4 ; 22.

CHAPITRE XII

LES IMPLICATIONS CHRISTOLOGIQUES ET PNEUMATOLOGIQUES DE L'ECCLÉSIOLOGIE DE VATICAN II

J'ai imprudemment accepté de traiter ce thème. Au moment de rédiger, je me suis demandé ce qu'il recouvrait exactement, ce qu'on attendait de moi dans le cadre global de ce colloque. Je me suis alors tracé un plan découlant, m'a-t-il semblé, de l'énoncé même du thème, puis j'ai relu tous les textes du Concile, le crayon à la main [1]. Voici, en conséquence, ce que je me propose

---

1. Sigles employés : les lettres des deux premiers mots de chaque document. Cela donne :

AA : *Apostolicam actuositatem*, sur l'apostolat des laïcs
AG : *Ad Gentes divinitus,* sur l'activité missionnaire
CD : *Christus Dominus*, sur la charge pastorale des évêques
DH : *Dignitatis humanae personae.* Déclaration sur la liberté religieuse
DV : *Dei verbum.* Constitution dogmatique sur la Révélation, l'Écriture et la Tradition
GE : *Gravissimum educationis momentum*, sur l'éducation et l'enseignement
GS : *Gaudium et spes.* Constitution pastorale sur l'Église dans le monde de ce temps
IM : *Inter mirifica*, sur les moyens de communication sociale
LG : *Lumen Gentium.* Constitution dogmatique sur l'Église
NA : *Nostra aetate.* Déclaration sur les religions non chrétiennes
OE : *Orientalium Ecclesiarum*, sur les Églises orientales
OT : *Optatam totius Ecclesiae renovationem*, sur la formation des prêtres
PC : *Perfectae caritatis*, sur la vie religieuse
PO : *Presbyterorum Ordinis*, sur le ministère et la vie des prêtres
SC : *Sacrosanctum Concilium*, sur la liturgie
UR : *Unitatis redintegratio*, sur l'œcuménisme

d'examiner : 1. Ce que le Christ a fait, quant à l'Église, durant sa présence sur terre. 2. Ce que fait le Christ glorieux. 3. Ce qui vient du Saint-Esprit. 4. En conclusion, le caractère trinitaire de l'ecclésiologie de Vatican II. A chacun de ces moments, après le bilan des énoncés conciliaires, nous chercherons quels enjeux sont en cause, ce que cela a apporté dans l'après-concile et ce que cela représente dans l'état actuel des recherches, des mouvements, des aspirations.

I. Ce que le Christ a fait, quant à l'Église, durant sa présence sur terre

Antonio Acerbi a montré que, jusque Vatican II, l'ecclésiologie dominante était celle d'une Église fondée par le Christ, présent sur terre, comme institution hiérarchique, juridique [2]. Le Christ, avait fondé l'Église comme une société, une société complète (societas perfecta), une société inégale, où, de droit divin et comme valeur fondamentale, existait une distinction entre clercs et laïcs, gouvernants et gouvernés. Même l'encyclique *Mystici Corporis* de Pie XII (29 juin 1943 : cette date même est significative), si elle remettait en valeur l'aspect spirituel, et même les charismes, l'insérait étroitement dans l'institution, soucieuse qu'elle était d'exclure toute opposition entre Église de l'amour et Église du droit. Le schéma de la Commission préparatoire du concile était dans la même ligne. Il existait d'autres courants qui, à partir d'approches et dans des élaborations diverses, voyaient *d'abord* l'Église comme communion à la vie divine, c'est-à-dire communauté surnaturelle consistant *d'abord* dans les chrétiens. Bien sûr, les ministères ordonnés y avaient leur place. Au concile, montre Acerbi, ces deux visions sont entrées en compétition, la seconde l'a emporté sur la précédente, sans l'éliminer cependant — sans doute n'est-ce ni possible ni souhaitable ? — de sorte que *Lumen Gentium* offre un certain caractère de compromis ou de texte de transition.

Relecture attentive faite, j'affirme qu'on ne peut taxer *Lumen*

2. A. Acerbi, *Due ecclesiologie. Ecclesiologia giuridica ed ecclesiologia di communione nella « lumen gentium »*. Bologna, 1975.

Gentium de « christomonisme ». Christocentrisme, soit, si toutefois cette étiquette a un sens : Vatican II est christocentrique comme S. Paul, pas autrement, c'est-à-dire que notre communion avec Dieu ne se fait que par union au Christ, qui a accompli l'œuvre que le Père lui a confiée (SC, 5). Il est très souvent donné aussi comme le modèle absolu[3]. Certes, il est *fondateur*. Il a fondé l'Église comme un tout social (LG, 8) ; il a institué les Douze comme un groupe stable, principe du corps ou collège des évêques (cf. Mc 3, 13)[4] ; il a ainsi établi ceux-ci maîtres, pontifes et pasteurs (CD, 2) ; il a disposé les ministères[5]. En envoyant les apôtres avec Pierre à leur tête, le Christ a établi la forme du pouvoir pastoral dans l'Église, continuée dans le collège des évêques avec le pontife romain à sa tête (LG, 18 ; 22 ; 27, et Nota praevia § 2). C'est une fondation de l'Église par le Christ en la chair. Cependant souvent on se réfère à la mission donnée par Jésus ressuscité, avec renvoi à Mt 28, 18-20[6]. Cela répond bien au caractère dynamique et missionnaire que Vatican II met en avant dans toute l'économie de grâce : Christ, Église — peuple de Dieu.

Personne ne peut ignorer ou nier la prévision et l'institution d'une Église, au moins dans la personne des Douze, par le Christ prépascal[7]. Certaines présentations ecclésiologiques récentes nous semblent minimiser ce fait : ainsi H. Küng, pour lequel « par sa prédication et son activité, le Jésus *pré-pascal a créé les bases favorables* à l'apparition d'une Église post-pascale »[8] (souligné de l'auteur), mais surtout Leonardo Boff, qui écrit : « Jésus n'a pas prêché l'Église, mais le Royaume de Dieu. Celui-ci n'est pas venu, comme il l'avait espéré jusqu'à la fin,

3. Cf. LG, 40-42 ; 46 ; DV, 2 ; 7 ; 15 et 17 ; GS 10/2 ; 22/1 ; 32 ; 38 ; 41 ; 45.
4. Cf. LG, 19 ; AG, 5 ; UR, 2/3 ; DH, 1/2.
5. LG, 7 ; 18 ; DF, 20 ; AG, 4 et 5.
6. Soit pour fonder le *collège* (LG, 19 et 20), soit pour affirmer la continuité de mission : DV, 7 ; AG, 5 ; LG, 17 ; SC, 9 ; PO, 4/2 ; DH, 1/2 ; 13/2 ; 14/1. Voir encore LG, 1 ; AG, 2 ; PO, 2 ; 5 ; 12.
7. Le maximum de ce qu'on peut, exégétiquement et historiquement, dire en ce sens, l'a été par Mgr A.-L. DESCAMPS, *L'origine de l'institution ecclésiale selon le Nouveau Testament,* in *L'Église : institution et foi* (Public. des Facultés universit. St-Louis, 14). Bruxelles, 1979, p. 91-138.
8. H. KÜNG, *L'Église*. Trad. H. ROCHAIS et J. EVRARD. Desclée de Brouwer, 1968, t. I, p. 71-151 (citation : p. 112).

parce que les juifs ont refusé (...) l'Église-institution ne se basait pas, comme on le dit communément, sur l'Incarnation du Verbe, mais sur la foi dans le pouvoir des apôtres inspirés par l'Esprit-Saint, qui leur faisait transposer l'eschatologie au temps de l'Église et traduire la doctrine du Royaume de Dieu en doctrine sur l'Église... »[9]. C'est le Saint-Esprit et les apôtres qui ont fait la communauté-Église ; la réalisation de celle-ci est toujours ouverte devant elle, devant nous...

Cela n'est certainement pas la vue du concile, bien que celui-ci n'ait épousé, ni l'idée de l'école romaine d'« Incarnation continuée », ni le schéma de la hiérarchie cause efficiente de Billot, Journet, auquel il m'est arrivé de sacrifier : le Christ → les apôtres et leurs successeurs → l'Église. Le concile donne un rôle actif aux ministres ordonnés, mais ne construit pas sa vision de l'Église selon ce schéma. Il voit l'Église comme un peuple, une communauté de grâce en dépendance de la Trinité par les missions du Fils et de l'Esprit. Bien sûr, peuple et communauté sont visibles, historiques, ils usent de moyens sensibles, mais tout cela est vu sous le signe de sacrement de la grâce et de l'action actuelle du Christ.

II. Ce que fait le Christ glorieux

Pour Vatican II, le Christ n'est pas seulement *fondateur* : il est *fondement* permanent, activement présent à la construction permanente et à la vie de l'Église. Cet actualisme de la référence christologique était manifeste dans le discours de Paul VI ouvrant la seconde période du concile, le 29 septembre 1963. J'en ai encore dans les oreilles le ton de foi enthousiaste et intense. « Trois questions capitales dans leur extrême simplicité. Il n'y a qu'une réponse à leur donner... : le Christ. Le Christ : notre principe ; le Christ : notre voie et notre guide ; le Christ : notre espérance et notre fin (...) Nous sommes ses élus, ses disciples, ses apôtres, ses témoins, ses ministres, ses représentants et, avec tous les autres fidèles, ses membres vivants, unis

9. L. Boff, *Église en genèse. Les communautés de base réinventent l'Église.* Trad. F. Malley. Paris, 1978, p. 79-80 et 84.

dans cet immense et unique Corps mystique, que Lui, par le moyen de la foi et des sacrements, est en train de se constituer au cours des générations humaines »[10]. Les premiers mots de la constitution sur l'Église répondent bien à cette vision. Jean XXIII avait, le 11 septembre 1962, parlé de l'Église comme « lumen gentium », en se référant ensuite au « lumen Christi » de la vigile Pascale. Le concile a fait de ces mots le titre de sa constitution dogmatique mais en le rapportant au Christ au prix d'une construction latine heurtée « Lumen gentium cum sit Christus »... Puis c'est, dès le n° 3, cet écho : « Omnes homines ad hanc vocantur unionem cum Christo, qui est lux mundi, a quo procedimus, per quem vivimus, ad quem tendimus » et, au n° 8 « Unicus Mediator Christus », idée explicitée au n° 60 à propos du titre marial bien connu.

Cet actualisme de l'action du Christ glorieux est marqué dans la théologie sacramentaire du concile, et d'abord dans sa théologie de l'Église — sacrement primordial et global : « Le Christ élevé de terre a tiré à lui tous les hommes (Cf. Jn 12, 32 grec) ; ressuscité des morts (Cf. Rm 6, 9), il a envoyé sur ses apôtres son Esprit de vie et par lui il a constitué son Corps, qui est l'Église, comme le sacrement universel du salut ; assis à la droite du Père, il exerce continuellement son action dans le monde... » (LG, 48). Cela est développé dans la catégorie de « présence » et par une brève analyse des diverses formes de cette présence, dans la constitution sur la liturgie, SC, 7, qui conclut : « c'est donc à juste titre que la liturgie est considérée comme l'exercice de la fonction sacerdotale de Jésus-Christ... », un texte auquel renvoie PO, 5 en parlant des prêtres qui « agissent dans les célébrations sacrées comme ministres de celui qui, par son Esprit, exerce sans cesse pour nous, dans la liturgie, sa fonction sacerdotale ».

Nous pouvons, en passant, noter l'intérêt œcuménique de ces énoncés, soit à l'égard de l'Orient orthodoxe, qui exprime dans ses célébrations l'action transcendante *de Dieu*[11], soit à l'égard de la Réforme avec son fameux « ubi et quando visum est Deo », qui

---

10. *Docum. Cath.*, 1963, col. 1349 et 1350. Le texte, trop peu remarqué, de Jean XXIII : *Docum. Cath.*, 1962, col. 1217 s.

11. Renvoyons au t. III de notre « Je crois en l'Esprit-Saint ».

ne signifie pas une liberté imprévisible de Dieu à l'égard des sacrements eux-mêmes, mais une liberté de sa grâce à l'égard des fidèles qui en usent [12].

Des deux côtés, cependant, on critique et même on récuse l'expression souvent employée par Vatican II, de l'évêque ou du prêtre agissant « in persona Christi ». Nous montrons ailleurs (*op. cit.*, note 11) que cette expression a un sens sacramentel, icônique. Aussi est-ce le Christ qu'elle suppose comme acteur souverain et premier. Cf. LG 21 « en la personne des évêques assistés des prêtres, c'est le Seigneur Jésus-Christ, Pontife suprême, qui est présent au milieu des croyants. Assis à la droite de Dieu le Père, il ne cesse d'être présent à la communauté de ses pontifes... »

Cela dit, on pourrait rattacher à ce « in persona Christi » tout un développement sur les recherches qui ont suivi le concile et qui ne sont pas terminées, touchant l'identité du prêtre. On prend en considération déterminante ce que la Scolastique, la Contre-Réforme et la Restauration anti-révolutionnaire avaient négligé (au plan de la théologie de la chose), à savoir le rapport à la communauté. Le prêtre préside l'Eucharistie parce qu'il est ordonné pour présider la communauté. La Scolastique le définissait par la « potestas conficiendi » identifiée au « caractère » imprimé par l'ordination, personnellement possédé de façon inamissible, et qui configure le prêtre au Christ-prêtre d'une façon absolument originale. Je comprends très bien qu'on veuille dépasser la Scolastique, et même qu'on critique Vatican II, qui a orienté la définition du prêtre vers l'apostolat total et la mission. Mais je craindrais un abandon, voire une diminution, de la référence christologique verticale. Le mouvement favorable à l'ordination des femmes en profiterait, en vertu d'une cohérence des démarches et des attitudes, mais ce n'est pas cela qui m'inquiète. Je souhaite un effort d'intégration et de synthèse entre la sacramentaire christologique assez individualiste de la Scolastique, la référence à la communauté avec ce qu'elle incorpore de pneumatologie, enfin l'effort du concile, si

12. L'expression est de la Confessio Augustana, V. Explication : M. Kwiran, *Der Heilige Geist als Stiefkind? Bemerkungen zur Confessio Augustana*, in *Theol. Zeitsch.*, 31 (1975) 223-236 (234).

bien caractérisé par les références bibliques qui n'avaient pas été prises en compte auparavant : Jn 10, 36 (cité quatre fois par le concile) et Rm 15, 16 (cité également quatre fois).

III. Ce qui revient au Saint-Esprit

D'abord, bien sûr, l'animation de l'institution ecclésiale. Quatre mots sont très importants dans le n° 14 de LG. Il s'agit du rapport entre les fidèles catholiques et la société-Église. Sous cette question classique se jouait en réalité une *définition* de l'Église. Le concile dit, et nous soulignons les quatre mots en question : « Illi *plene* Ecclesiae societati incorporantur, qui *Spiritum Christi habentes*, integram eius ordinationem... accipiunt ». Ainsi l'Église-société ou la société-Église ne peut se définir qu'en incluant l'Esprit du Christ. C'est le début du dépassement d'un « christomonisme ». Le début seulement. Cela va continuer. L'institution du Christ, les réalités de l'Église-société sont *au service de l'Esprit* du Christ : « Tout comme, en effet, la nature assumée par le Verbe divin est à son service comme un organe vivant de salut qui lui est indissolublement uni, de même le tout social que constitue l'Église est au service de l'Esprit du Christ qui lui donne vie, en vue de la croissance du corps (cf. Ep 4, 16) » (LG, 8). C'est donc aussi dynamique, « ad augmentum corporis ».

Si le Saint-Esprit n'est pas *instituant* — ce qu'il risque d'être si l'on suit à fond Leonardo Boff —, il est *co-instituant* [13]. L'Église est fondée par le Christ, elle est à ce titre déterminée, mais elle est une institution ouverte. Vatican II parle de suggestions du Saint-Esprit faites aux apôtres (parmi lesquelles celle d'*écrire* ce que nous appelons le Nouveau testament) [14] ; il parle du mystère dévoilé, dans l'Esprit-Saint, aux saints apôtres et prophètes (Ep 3, 4-6 grec) [15]. L'Esprit suscite, dans la vie historique de l'Église, des *événements*, c'est-à-dire des faits irréductibles aux prévisions,

13. Cf. notre *Je crois en l'Esprit-Saint*. II. *Il est Seigneur et il donne la vie*. Paris, 1979, p. 13-24.
14. Cf. DV, 7 ; 9 ; 11 ; PO, 11.
15. DV, 17. Et Cf. 18 ; 19 ; 20.

aux récurrences, à un ordre de natures. Ainsi le mouvement liturgique moderne est présenté comme « un passage du Saint-Esprit dans l'Église de Dieu » (SC, 43). S'il s'agit d'initiatives apostoliques ou missionnaires, *Ad Gentes* reconnaît, avec référence aux Actes (épisode de Corneille) que parfois le Saint-Esprit précède l'action programmée par les hommes : AG, 4 fin ; 29/3.

Une des grandes nouveautés de Vatican II *dans le domaine des documents du « magistère »* a été l'introduction du point de vue eschatologique, et donc aussi de l'historicité. Cela manquait, et ce manque était grave. Il avait partie liée avec la prédominance du juridique. Vatican II voit l'Esprit de Dieu conduire le cours des temps, rénover la face de la terre, présent qu'il est à l'évolution de la communauté humaine (GS, 26/4 ; comp. 39/3). Il y a lieu, « avec l'aide de l'Esprit-Saint, de scruter, de discerner et d'interpréter les multiples langages de notre temps... » (GS, 44/2 ; 11/1). Les disciples du Christ, conduits par l'Esprit-Saint, sont engagés dans une histoire qui est une marche vers le royaume du Père (GS, 1). Usant éventuellement des ressources que lui offre le monde (GS, 44), l'Église poursuit, sous l'assistance du Saint-Esprit, l'intelligence de ce qui lui a été transmis, « tendant constamment vers la plénitude de la divine vérité, jusqu'à ce que soient accomplies en elle les paroles de Dieu » (DV, 8/2 ; 23 ; comp. 12/3). Cette conduite de l'Esprit est assurée à tout le peuple de Dieu qui, pris dans son universalité, a reçu l'onction du Saint (LG, 12 ; référence à 1 Jn 2, 20 et 27) : *Presbyterorum Ordinis* en parle spécialement pour les prêtres (12/2 et 3 ; 17/5 ; 18/2). L'Esprit pousse à la mission (LG, 17) ; il fait retentir et rend actuelle, par la prédication apostolique, la « viva vox Evangelii » (DV, 8 et cf. 21).

K. Rahner a pu dire : ce que Vatican II a apporté de plus neuf est l'idée de l'Église locale comme réalisation de l'Église une, sainte, catholique et apostolique [16]. Em. Lanne parle, à ce sujet, de « révolution copernicienne » : ce n'est plus l'Église locale qui gravite autour de l'Église universelle, mais c'est l'Église de Dieu qui se trouve présente dans la célébration de chaque Église

---

16. K. RAHNER, *Das neue Bild der Kirche*, in *Schriften zur Theologie*, VIII. Einsiedeln, 1967, p. 329-354 (333 s.).

locale[17]. De fait, c'est là une redécouverte qui n'a pas fini de développer ses conséquences. Or elle est liée à la pneumatologie, comme une ecclésiologie de l'Église universelle a été liée à un certain « christomonisme ». Cela n'est pas très explicitement dégagé dans le concile. Dans le beau n° 13 de *Lumen Gentium* sur la catholicité, l'Esprit intervient plutôt comme principe de communion et d'unité. Il y est cependant parlé des dons divers propres à chaque peuple, des traditions propres des Églises particulières, qui enrichissent les autres par des échanges mutuels, dans un effort commun vers la plénitude. Mais on ne se lasse pas de citer les belles définitions de l'Église locale :

> Elles sont, chacune sur son territoire, le peuple nouveau appelé par Dieu dans l'Esprit-Saint (...) En elles, les fidèles sont rassemblés par la prédication de l'Évangile du Christ, le mystère de la Cène du Seigneur est célébré (...) Dans ces communautés... le Christ est présent par la vertu de qui se constitue l'Église une, sainte, catholique et apostolique (LG, 26/1, et comp. 28/2).
>
> Un diocèse est une portion du peuple de Dieu confiée à un évêque pour qu'avec l'aide de son presbyterium il en soit le pasteur : ainsi le diocèse, lié à son pasteur et par lui rassemblé dans l'Esprit-Saint grâce à l'Évangile et à l'Eucharistie, constitue une Église du Christ une, sainte, catholique et apostolique (CD, 11/1).

Admirables textes. Le Saint-Esprit y est nommé plutôt comme principe de rassemblement. Or, on le voit mieux aujourd'hui, il est principe d'intériorisation aux personnes, dans la diversité des dons, charismes et vocations, pour que chacune soit librement elle-même, dans la communion des autres. Et cela ne vaut pas seulement pour les personnes individuelles, mais pour les peuples, les Églises. *Cet* aspect-*là* a été peu développé au concile, excepté dans *Unitatis Redintegratio* pour la dualité, à mon avis providentiellement structurelle, entre Orient et Occident : deux traditions de la même foi, que le concile rattache, non seulement à la catholicité, mais à l'apostolicité, ce qui est très fort.

Depuis le concile, nous avons eu un développement de la conscience des Églises particulières — j'adopterais ce vocabu-

17. E. LANNE, *L'Église locale et l'Église universelle*, in *Irénikon* 43 (1970), 481-511 (490).

laire, en appelant « Églises *locales* » les diocèses[18] —, nous avons eu des synodes nationaux, nous avons eu le Synode des évêques de 1974, nous avons eu enfin — un processus qui n'a pas dit son dernier mot — la crise de l'européocentrrime, et même de l'Occident, la montée de l'Afrique et de l'Asie. A quoi il faut ajouter un nouveau développement de la Pneumatologie, en partie lié à l'œcuménisme et à l'écoute de l'Orient. Dès la publication de *Ad Gentes divinitus* des critiques ont été faites du document conciliaire : il reflétait trop la vision des instituts missionnaires et il était encore sous l'influence de l'idée de « planter l'Église », c'est-à-dire, concrètement, de transplanter en une autre terre la bouture de nos Églises occidentales[19]. On dit aujourd'hui : il s'agit non d'envoyer des missions, mais de faire qu'il y ait Église, qu'une Église naisse en un lieu, dans un peuple[20]. Cela est évidemment lié avec la requête de mieux assumer les dons propres de chaque peuple, avec sa culture, ses coutumes. Cette requête, le concile l'avait faite sienne (LG, 17 ; AG, 8), sans en voir toutes les implications et sans développer la pneumatologie qui entre dans ses fondements.

Un autre fruit de la pneumatologie est partiellement évoqué, à savoir le caractère bilatéral et la réciprocité des relations entre les chefs et le corps. On trouve un petit quelque chose en ce sens-là où il s'agit des rapports entre les prêtres et leur évêque[21], entre les laïcs et les prêtres, voire les évêques[22]. Le fondement

---

18. On sait que le vocabulaire du concile est hésitant, pas fixe. Je me rallierai à l'inverse de ce qu'avaient patronné le P. H. de Lubac (*Les Églises particulières dans l'Église universelle*, Paris, 1971) et le cardinal Baggio (le 5 octobre 1974) aux propositions de J.-M. de Lachaga, *Église particulière et minorités ethniques...* Paris, 1978.

19. Ainsi A.-M. Henry, *Missions d'hier, missions de demain*, in *L'activité missionnaire de l'Église (Unam Sanctam*, 67). Paris, 1967, p. 411-440.

20. J. Amstutz, *Pour la légitimité des missions*, in *Concilium* n° 134, 1978, p. 45-53. « Allen affirme que la raison du succès de saint Paul comme missionnaire fut qu'il établissait des *Églises* et non point des *Missions*. C'est-à-dire qu'il fondait des communautés indigènes pourvues dès le début de toute l'autorité spirituelle nécessaire, et qui étaient responsables de leur propre subsistance, de leurs décisions et de leur expansion ». D.R. Cochran, *Churches or Missions ?*, in *Anglican Theological Rev.*, septembre 1974, p. 23 ; cité par M. Hebga, in *Concilium*, n° 150 (décembre 1979), p. 127.

21. Cf. LG, 28/2 (des amis) ; PO, 7 (des frères et des amis ; les écouter, les consulter) ; CD, 16/3 (idem) ; 28/2 (dialogue).

22. Cf. LG, 37/3 ; PO, 9/2 ; comp. AA, 25/1.

pneumatologique à savoir le fait que l'Esprit habite et anime aussi le corps, qu'il y distribue ses charismes, et qu'ainsi l'œuvre de Dieu veut que la base *apporte* aussi et coopère activement, est assez suggéré pour les prêtres (PO, 7), plus indirectement pour les laïcs (AA, 3/2 et 4). C'est un aspect que les études plus récentes développent souvent en citant de beaux témoignages anciens (S. Cyprien, S. Jean Chrysostome, etc.). Il s'annonce même ici ou là une application aux rapports entre le corps de l'Église (ou le corps des évêques) et son chef romain, le pape. Il faudra bien, un jour, sortir du carcan de la « plenitudo potestatis », qu'on nous a tant de fois objectée. S'il est vrai que, dans l'ordre purement juridique, le pouvoir suprême ne peut être limité (sinon par le droit divin, le droit naturel, le respect du « Status Ecclesiae » et de la Tradition[23] — et encore la thèse est-elle sérieusement soutenue que le pouvoir suprême *est collégial...*), il reste qu'il est conditionné si l'on considère l'Église sous l'angle de la communion. Le pape hérétique cesserait d'être pape ; il est donc conditionné par la foi de l'*ecclesia*. On a aussi commencé de mettre en valeur et de prendre en compte le fait « réception »[24]. Pour toutes ces questions, il est essentiel que l'histoire ait la parole, soit pour apporter des faits, soit pour nous aider à réactualiser, non certes la matérialité des situations anciennes, mais les inspirations, perceptions, et motivations profondes de la Tradition antique.

Il y a eu peu d'historiens au concile, et pourtant nous avons parlé d'une entrée du sens eschatologique et de l'historicité à Vatican II. C'était une valeur qui avait manqué assez généralement à la théologie — un « De ultimis rebus » est autre chose ![25]

---

23. Voir un florilège de textes dans l'Excursus C de notre *La Tradition et les traditions*. I. *Essai historique*. Paris, 1960, p. 271-278. Sur « Status Ecclesiae » notre article des *Studia Gratina*, XV, Bologna, 1972, p. 1-31.

24. A. GRILLMEIER, *Konzil und Rezeption...*, in *Theol. u. Philos.* 45 (1970) 321-352. J'ai beaucoup augmenté ma documentation depuis *La « réception » comme réalité ecclésiologique*, in *Rev. Sc. phil. théol.*, 56 (1972) 369-403.

25. Acerbi cite p. 53 ces lignes d'un de mes comptes rendus de Garrigou-Lagrange sur ce sujet : « L'eschatologie redevient, dans la pensée théologique contemporaine, ce qu'elle est dans l'Écriture et ce qu'elle était chez les Pères : le sens même du mouvement de l'histoire, ce qui éclaire tout le mystère de l'Église : donc, quelque chose qui travaille l'ordre présent lui-même et qui ne peut être vraiment compris que comme le terme de son mouvement... » (*Rev. Sc. phil. théol.*, 33 [1949] 463).

et aux documents du « Magistère » : à des encycliques comme *Quas primas* sur le Christ-Roi, ou *Mystici Corporis*, par exemple. Un chapitre particulier (le VIIe) a été ajouté dans *Lumen Gentium* : « De indole eschatologica Ecclesiae peregrinantis eiusque unione cum Ecclesia coelesti ». A vrai dire, le texte de base ne traitait que du culte des saints et de l'union entre l'Église terrestre avec l'Église céleste, mais un premier numéro (48) a été introduit, qui parle du caractère eschatologique de l'Église en sa condition d'itinérance[26]. L'Esprit y apparaît comme arrhes de notre héritage, prémices qui n'empêchent pas de gémir dans l'attente de la manifestation glorieuse du Seigneur. Donc, situation de « déjà et pas encore ».

Aussi le concile peut-il mettre une distance entre l'Église et le Christ : elle n'est que le sacrement du salut. Il peut manifester la distance entre l'Église et le Royaume : là aussi, condition de « déjà et pas encore » (cf. LG, 5, surtout la fin ; UR 2/5). Parce que l'Église n'est pas adéquatement le Royaume, elle se renouvelle et se réforme sans cesse : LG, 8/3 fin ; 9 Fin ; GS, 21/5 (« Sous la conduite de l'Esprit-Saint ») ; 43/6 (« guidée par l'Esprit-Saint »). Mais aussi l'Esprit pousse l'Église à trouver de nouvelles formes, à tracer des chemins nouveaux : PO 18, 1 ; 22 ; AG 40/4. L'Église professe vouloir ne pas préjuger des initiatives de l'Esprit en matière d'œcuménisme[27].

L'œcuménisme est précisément une de ces activités du « déjà et pas encore », marquée par notre condition pécheresse et en tendance vers la plénitude ou la perfection eschatologique. Le concile y voit le fruit d'une grâce et d'une action du Saint-Esprit : LG, 15 ; UR, 1/2 ; 4/1 ; GS, 92/3. *Lumen Gentium*, après avoir énuméré quelques réalités majeures dans et par lesquelles les chrétiens d'autres Églises ou communautés ecclésiales sont unis avec nous, ajoute ces mots lourds de sens : « A cela s'ajoute la communion dans la prière et dans les autres bienfaits spirituels ; bien mieux, *une véritable union dans l'Esprit-Saint*, puisque, par ses dons et ses grâces, il opère en eux aussi son action sanctifiante » (15 : souligné de moi). C'est une union dans la *res* (possédée, du reste, seulement en arrhes). Toutes les difficultés

---

26. Cf. Acerbi, *op. cit.*, p. 421 s.
27. UR, 24/2. Comp. Message du 8 décembre 1965 aux artistes : « Ne fermez pas votre esprit au souffle du Saint-Esprit ! »

viennent du *sacramentum*, qui comporte la confession de foi, l'Eucharistie, le sacrement de l'Ordre, l'épiscopat, la primauté de Pierre... H. Mühlen a tiré de ce texte une appréciation extrêmement positive de la valeur ecclésiale des Communions non-catholiques [28]. Le problème théologique est alors de savoir si l'Esprit déploie tous ses effets *ecclésiaux* là où le sacrement ecclésial est imparfait. Il reste qu'une ecclésiologie pneumatologique des Églises locales permet une évaluation plus positive des autres Églises [29].

III. Ecclesia de Trinitate

A la Commission théologique du concile, il a été proposé par quelque(s) membre(s) qu'on n'intitule pas le chapitre I de *Lumen Gentium* « De mysterio Ecclesiae », mais « De natura Ecclesiae » (ce qui était le titre dans le schéma de la Commission préparatoire...). On a aussi proposé de remplacer « De populo Dei » par « De aequalitate et inaequalitate membrorum in Ecclesia »... ! « De mysterio » est resté et porte une signification profonde. Tant *Ad Gentes divinitus* que *Lumen Gentium* montrent l'Église comme le terme, dans les hommes et dans le devenir du monde, pour les hommes et pour le monde, de la vie intra-divine, des Processions trinitaires. La fin du n° 4 de *Lumen Gentium*, avec référence à S. Cyprien, S. Augustin et S. Jean de Damas, résume tout cela : « Sic apparet universa Ecclesia sicuti « de unitate Patris et Filii et Spiritus Sancti plebs adunata ». La quantité matérielle des formules n'est pas nécessairement significative, mais dans notre cas, elle l'est, et d'autant plus que ces formules se trouvent dans des documents différents, venant de Commissions qui communiquaient peu entre elles. Neuf fois revient l'idée qui est l'âme de la pensée des Pères et l'âme de la liturgie : au Père, par le Fils, dans l'Esprit [30]. Deux fois l'Église est désignée de façon trinitaire comme Peuple de Dieu, Corps du

28. H. Mühlen, *L'Esprit dans l'Église*, t. II (*Bibl. œcum.* 7). Paris, 1969, p. 9-114.

29. Ph. J. Roseto, *Called by God in the Holy Spirit. Pneumatological Insights into Ecumenism,* in *The Ecumenical Rev.* 30 (1978) 110-126.

30. LG, 4 ; 28 ; 51 ; DV, 2 ; SC, 6 ; PO, 6 ; OT, 8 ; AG, 7/3 ; UR, 15/1. Ame de la liturgie : C. Vagaggini, *Initiation théologique à la liturgie*, I. Adapté par Ph. Rouillard, Bruges-Paris, 1959.

Christ, Temple de l'Esprit-Saint : LG 17 ; PO, 1. Une fois au moins il est dit expressément que « de ce mystère (de l'Église), le modèle suprême et le principe est dans la trinité des Personnes l'unité d'un seul Dieu Père, et Fils, en l'Esprit-Saint » (UR, 2/6).

Le sens de tout cela est clair : à une vision principalement juridique, et par le fait à dominante purement christologique, on a substitué une vision de l'Église comme communion de personnes et communion d'Églises locales, dans une perspective trinitaire. Parler de « christomonisme » pour Vatican II, singulièrement pour *Lumen Genium*, ou dire qu'on a seulement « saupoudré » le texte de Saint-Esprit, ferait supposer qu'on n'a pas lu les textes ou qu'on les a lus avec un regard prévenu [31]. Il est vrai que l'aspect pneumatologique est, à Vatican II, lié à la réalité christologique, mais cela traduit la vérité telle que nous la révèlent les Écritures inspirées [32]. L'Esprit est une hypostase originale, objet d'une « mission » propre, mais il ne fait pas une autre œuvre que celle du Christ. Nous reconnaissons que Vatican II est, en bien des domaines, imparfait. Beaucoup de ses vues sont, sinon des compromis, du moins des ébauches et se tiennent, en quelque sorte, à mi-chemin. Paul VI disait, dans l'audience générale du 6 juin 1973 : « A la christologie et spécialement à l'ecclésiologie du concile doivent succéder une étude nouvelle et un culte nouveau de l'Esprit-Saint, précisément comme complément indispensable de l'enseignement du concile » [33]. Nous nous y employons pour notre modeste part ! Le concile, que Jean XXIII a souvent présenté comme une nouvelle Pentecôte, est à l'origine *historique* de cette paradoxale Pentecôte à laquelle il nous est donné d'assister et de participer...

31. Qu'on nous permette de renvoyer à nos propres travaux : *Pneumatologie ou « Christomonisme » dans la tradition latine ?*, in *Ecclesia a Spiritu Sancto edocta*. Mélanges G. PHILIPS, GEMBLOUX, 1970, p. 41-63 ; *Je crois en l'Esprit-Saint*. I. Paris, 1979, p. 227-235 (bibliogr.) et III, paru en 1980. Ajouter B. DE MARGERIE, *La Trinité chrétienne dans l'histoire (Théol. hist.* 31). Paris, 1975, p. 304-319 ; A. LAMINSKI, *Die Entdeckung der pneumatologischen Dimension der Kirche durch das Konzil und ihre Bedeutung*, in *Sapienter ordinare*. Festgabe E. Kleineidam (*Erf. Theol. St. 24*). Leipzig, 1969, p. 392-403.

32. Fait reconnu (notre *Pneumatologie ou...*, p. 63, n. 90) et qui s'est imposé à nous dans l'étude qui a abouti à *Je crois en l'Esprit-Saint*. La christologie est la condition de santé de la pneumatologie...

33. *Docum. Cath.*, n° 1635 (1. VII. 1973) p. 601. Dans la belle exhortation apostolique du 22 mars 1974, *Marialis cultus*, Paul VI invite aussi à « approfondir la réflexion sur l'action de l'Esprit dans l'histoire du salut » (n° 27).

Nous remercions tous ceux qui ont bien voulu autoriser la reproduction des textes publiés dans ce volume. Références ci-dessous.

Situation ecclésiologique au moment de « Ecclesiam suam » et passage à une Église dans l'itinéraire des hommes : Publicazioni dell' Istituto Paolo VI, 2 : *« Ecclesiam suam », première lettre encyclique de Paul VI.* Colloque international, Rome, 24-26 octobre 1980. Brescia, 1982, p. 80-102.

Structure ou régime conciliaire de l'Église : *Concilium* n° 187, octobre 1983, p. 10.

L'idée du concile et Jean XXIII : *La Croix,* 19 novembre 1982.

Regard sur le concile Vatican II. *Unterwegs zur Einheit.* Festschrift. H. Stirnimann. Freiburg, 1980, p. 774-790.

L'Église en cartes. A propos d'un traitement informatique des textes de Vatican I : *Revue des Sciences philosophiques et théologiques* 62 (1978) 61-64.

Les théologiens, Vatican II et la théologie : *Vingt ans de notre histoire.* Édité par G. Defois. Paris, 1982, p. 171-183.

Le rôle des « Observateurs » dans l'avancée œcuménique : Oekumene Möglichkeiten und Grenze heute. Hg v. Karlfried Froechlich (*Festgabe O. Cullmann*). Tübingen, 1983, p. 50-62 [non paru en français].

Les lendemains de conciles, *Documents-épiscopat* n° 10. Mai 1975.

— Richesse et vérité d'une vision de l'Église comme « peuple de Dieu » : *Les quatre fleuves* n° 4, 1975, p. 46-54.

D'une « Ecclésiologie en gestation » à Lumen Gentium chap. I et II : *Freiburger Zeitschrift. für Philosophie und Theologie* 18 (1971, Heft 1-2 : Festsch. M.D. Koster) 366-377.

« Lumen gentium » n° 7, « L'Église, Corps mystique du Christ », vu au terme de huit siècles d'histoire de la théologie du Corps mystique : *Au service de la Parole de Dieu. Mélanges Mgr André-Marie Charue.* Gembloux, 1969, p. 179-202.

Les implications christologiques et pneumatologiques de l'ecclésiologie de Vatican II : *Les Églises après Vatican II.* Dynamisme et prospective. Actes du Colloque international de Bologne, 1980. Edités par Giuseppe Alberigo. Paris, 1982, p. 117-130.

OUVRAGES DU PÈRE CONGAR

AUX ÉDITIONS DU CERF

Chrétiens désunis. Principe d'un œcuménisme catholique, épuisé, 1937.

Esquisses du Mystère de l'Église, 1941 ; 2e éd. assez renouvelée, épuisé, 1953.

Vraie et fausse réforme dans l'Église, coll. « Unam Sanctam », n° 72, 1950, 2e éd., 1969.

Jalons pour une théologie du laïcat, épuisé, 1953.

Le Mystère du Temple, coll. « Lectio Divina », n° 22, 1958.

Vaste monde, ma paroisse, Vérité et dimensions du salut, coll. « Foi vivante », n° 27, 1968.

Les Voies du Dieu vivant, coll. « Cogitatio Fidei », n° 3, 1962.

Sacerdoce et laïcat devant leurs tâches d'évangélisation et de civilisation, coll. « Cogitatio Fidei », n° 4, 1963.

Sainte Église, coll. « Unam Sanctam », n° 41, 1963.

Chrétiens en dialogue, coll. « Unam Sanctam », n° 50, 1964.

Situation et tâches présentes de la théologie, coll. « Cogitatio Fidei », n° 27, 1967.

Jésus-Christ, coll. « Foi vivante », n° 1, 1965.

L'Ecclésiologie du haut Moyen Age, coll. « Histoire des doctrines ecclésiologiques », 1968.

Cette Église que j'aime, coll. « Foi vivante », n° 70, 1968.

A mes frères, coll. « Foi vivante », n° 71, 1968.

L'Église de S. Augustin à l'époque moderne, coll. « Histoire des Dogmes », 1970.

Une, sainte, catholique, apostolique, coll. « Mysterium Salutis », n° 15, 1970, épuisé.

Ministères et communion ecclésiale, coll. « Théologie sans frontières », n° 23, 1971.

Un peuple messianique, Salut et libération, coll. « Cogitatio Fidei », n° 85, 1975.

La Crise dans l'Église et Mgr Lefebvre, 1976.

Une passion l'unité, coll. « Foi vivante », n° 156, 1974.

Je crois en l'Esprit Saint (t. I) : « L'Expérience de l'Esprit », 1979. — (t. II) : « Il est Seigneur et il donne la vie », 1979. — (t. III) : « Le Fleuve de Vie coule en Orient et en Occident », 1980.

Diversités et communion. Dossier historique et conclusion théologique, 1982.

Martin Luther. Sa foi. Sa réforme, 1983.

Le Concile au jour le jour. 4 volumes, 1963-1966.

Esprit de Dieu, esprit de l'homme, 1982.

Nombreux articles et *direction de la coll. « Unam Sanctam »* terminée par un commentaire des textes du Concile. Au total, une centaine de volumes.

AUX ÉDITIONS DESCLÉE

La Foi et la Théologie, 1962.

La Parole et le Souffle, 1984.

AUX ÉDITIONS FAYARD

La Tradition et les Traditions :
1. Essai historique,
2. Essai théologique,
1960-1963.

La Tradition dans la vie de l'Église, 1963.

AUX ÉDITIONS LAROUSSE

Église catholique et France moderne, 1978.

AUX ÉDITIONS DESCLÉE DE BROUWER

Marie, le Christ et l'Église, 1952.

AUX ÉDITIONS VRIN

Articles et *Bulletins annuels* dans la Revue des Sciences Philosophiques et Théologiques.

AUX ÉDITIONS VARIORUM REPRINTS, Londres

Droit ancien et structures ecclésiales, 1982.

Études d'ecclésiologie médiévale, 1983.

Thomas d'Aquin, sa théologie, son Église, 1984.

Achevé d'imprimer en février 1984
sur les presses de l'imprimerie Laballery et Cie
58500 Clamecy
Dépôt légal : mars 1984
Numéro d'impression : 312063

THÉOLOGIE HISTORIQUE

1. — PAUL AUBIN. Le problème de la conversion. *Étude sur un terme commun à l'hellénisme et au christianisme des trois premiers siècles.* Avant-propos de JEAN DANIÉLOU.
2. — AUGUSTE LUNEAU. L'histoire du salut chez les Pères de l'Église. *La doctrine des âges du monde.*
3. — FRANÇOIS RODÉ. Le miracle dans la controverse moderniste.
4. — JEAN COLSON. Ministre de Jésus-Christ ou le sacerdoce de l'Évangile. *Étude sur la condition sacerdotale des ministres chrétiens dans l'Église primitive.*
5. — JEAN DANIÉLOU. Études d'exégèse judéo-chrétienne. *Les testimonia.*
6. — YVON BODIN. Saint Jérôme et l'Église.
7. — J. VAN GOUDOEVER. Fêtes et Calendriers Bibliques. Traduit de l'anglais par MARIE-LUC KERREMANS. *Troisième édition revue et corrigée.* Préface de C. A. RIJK.
8. — ÉLISABETH GERMAIN. Parler du salut ? Aux origines d'une mentalité religieuse — *La catéchèse du salut dans la France de la Restauration.* Préface de JOSEPH BOURNIQUE.
9. — RAYMOND JOHANNY. L'Eucharistie. *Centre de l'histoire du salut chez Ambroise de Milan.*
10. — JEAN COLSON. L'énigme du disciple que Jésus aimait.
11. — J.-P. BROUDEHOUX. Mariage et famille chez Clément d'Alexandrie.
12. — HENRI HOLSTEIN. Hiérarchie et Peuple de Dieu d'après Lumen Gentium.
13. — HENRI CROUZEL. L'Église primitive face au divorce. *Du premier au cinquième siècle.*
14. — ALBANO VILELA. La condition collégiale des prêtres au IIIe siècle.
15. — EMMANUEL PATAQ SIMAN. L'expérience de l'Esprit par l'Église d'après la tradition syrienne d'Antioche.

16. — JEAN LAPORTE. La doctrine eucharistique chez Philon d'Alexandrie.

17. — ANDRÉ TARBY. La prière eucharistique de l'Église de Jérusalem.

18. — LESLIE W. BARNARD. Athenagoras. *A Study in second Century Christian Apologetic.*

19. — EDWARD NOWAK. Le chrétien devant la souffrance. *Étude sur la pensée de Jean Chrysostome.*

20. — CHRISTOPH VON SCHÖNBORN. Sophrone de Jérusalem. *Vie monastique et confession dogmatique.*

21. — LOUIS BOISSET. Un concile provincial au XIIIe siècle. Vienne 1289. *Église locale et Société.* Préface de J. GAUDEMET.

22. — ALAIN RIOU. Le Monde et l'Église selon Maxime le Confesseur. Préface de M. J. LE GUILLOU.

23. — LOUIS LIGIER. La Confirmation. *Sens et conjoncture œcuménique hier et aujourd'hui.*

24. — J. GREISCH, K. NEUFELD, C. THEOBALD. La crise contemporaine. *Du Modernisme à la crise des herméneutiques.*

25. — TON H. C. VAN EIJK. La résurrection des morts chez les Pères apostoliques.

26. — J.-B. MOLIN et P. MUTEMBÉ. Le rituel du mariage en France du XIIe au XVIe siècle. Préface de P.-M. GY.

27. — C. KANNENGIESSER *éd.* Politique et théologie chez Athanase d'Alexandrie. *Actes du Colloque de Chantilly,* 23-25 septembre 1973.

28. — R.-P. HARDY. Actualité de la révélation divine. *Une étude des « Tractatus in Johannis Evangelium » de saint Augustin.*

29. — Y. MARCHASSON. La diplomatie romaine et la République française. *A la recherche d'une conciliation,* 1879-1880.

30. — P. HÉGY. L'autorité dans le catholicisme contemporain. *Du Syllabus à Vatican II.*

31. — B. DE MARGERIE. La Trinité chrétienne dans l'histoire.

32. — MAXIMOS DE SARDES. Le patriarcat œcuménique dans l'Église orthodoxe. *Étude historique et canonique.*

33. — M.-T. PERRIN *éd.* Laberthonnière et ses amis : L. Birot, H. Bremond, L. Canet, E. Le Roy. *Dossiers de correspondance* (1905-1916). Préface de Mgr POUPARD.

34. — D. DIDEBERG. Augustin et la Ire Épître de saint Jean. *Une théologie de l'agapè.* Préface d'ANNE-MARIE LA BONNARDIÈRE.

35. — C. KANNENGIESSER *éd.* Jean Chrysostome et Augustin. *Actes du Colloque de Chantilly,* 22-24 septembre 1974.

36. — P. LEVILLAIN. La mécanique politique de Vatican II. *La majorité et l'unanimité dans un concile.* Préface de RENÉ RÉMOND.

37. — B.-D. BERGER. Le drame liturgique de Pâques. *Théâtre et Liturgie.* Préface de PIERRE JOUNEL.

38. — J.-M. GARRIGUES. Maxime le Confesseur. *La charité, avenir divin de l'homme.* Préface de M.J. LE GUILLOU.

39. — J. LEDIT. Marie dans la Liturgie de Byzance. Préface de Mgr A. MARTIN, Évêque de Nicolet.

40. — A. FAIVRE. Naissance d'une hiérarchie. *Les premières étapes du cursus clérical.*

41. — P. GISEL. Vérité et Histoire. *La théologie dans la modernité.* Ernst Käsemann.

42. — P. CANIVET. Le monachisme syrien selon Théodoret de Cyr.

43. — J. R. VILLALON. Sacrements dans l'Esprit. *Existence humaine et théologie sacramentelle.*

44. — C. BRESSOLETTE. L'Abbé Maret. *Le combat d'un théologien pour une démocratie chrétienne* (1830-1851).

45. — J. COURVOISIER. De la Réforme au Protestantisme. *Essai d'ecclésiologie réformée.*

46. — G. F. CHESNUT. The First Christian Histories. *Eusebius, Socrates, Sozomen, Theodoret and Evagrius.*

47. — M. H. SMITH III. And Taking Bread. *The development of the Azyme Controversy.*

48. — J. FONTAINE et M. PERRIN. Lactance et son temps. *Actes du IVe Colloque d'Études historiques et patristiques.* Chantilly 21-23 septembre 1976.

49. — J. DECHANET. Guillaume de Saint-Thierry. *Aux sources d'une pensée.*

50. — R. MENGUS. Théorie et pratique chez Dietrich Bonhœffer.

51. — B.-D. MARLIANGEAS. Clés pour une théologie du ministère. *In persona Christi — In persona Ecclesiae.* Préface de Y.M. CONGAR.

52. — F.-M. LETHEL. Théologie de l'Agonie du Christ. *La liberté humaine du Fils de Dieu et son importance sotériologique mises en lumière par Saint Maxime le Confesseur.* Préface de M.J. LE GUILLOU.

53. — Early Christian Literature and the Classical Intellectual Tradition. MÉLANGES ROBERT GRANT publiés par William R. SCHOEDEL et Robert L.WILKEN.

54. — B. GIRARDIN. Rhétorique et Théologique. Calvin. Le commentaire de l'*Épître aux Romains.*

55. — V. SAXER. Morts Martyrs Reliques en Afrique chrétienne aux premiers siècles. *Les témoignages de Tertullien, Cyprien et Augustin à la lumière de l'archéologie africaine.*

56. — J. GOLDSTAIN. Les valeurs de la Loi. *La Thora, une lumière sur la route.*

57. — R. STAUFFER. Interprètes de la Bible. *Études sur les Réformateurs du XVIe siècle.*

58. — E. CATTANEO. Trois Homélies Peudo-Chrysostomiennes sur la Pâque comme œuvre d'Apollinaire de Laodicée. *Attribution et étude théologique.*

59. — M. PERRIN. L'homme antique et chrétien. *Anthropologie de Lactance* (250-325). Préface de J. FONTAINE.

60. — G. ADLER et G. VOGELEISEN. Un siècle de catéchèse en France. *Histoire — Déplacements — Enjeux.*

61. — Les Églises après Vatican II. *Dynamisme et perspective.* Actes du Colloque International de Bologne, 1980.

62. — M. HUOT de LONGCHAMP. Lectures de Jean de La Croix. *Essai d'anthropologie mystique.* Préface d'A. Deblaere.

63. — E. DES PLACES. Eusèbe de Césarée Commentateur. *Platonisme et Écriture Sainte.*

64. — J.-E. LATHAM. The Religious Symbolism of Salt.

65. — J. LÉCUYER. Le sacrement de l'Ordination. *Recherches historiques et théologiques.*

66. — Migne et le renouveau des Études Patristiques. Actes du Colloque du Centenaire (Saint-Flour), édités par ANDRÉ MANDOUZE et JOËL FOUILHERON (1984).

67. — B. FRAIGNEAU-JULIEN. Les sens spirituels et la vision de Dieu selon Syméon Le Nouveau Théologien (1984).

68. — ÉRIC OSBORN. Les modèles éthiques dans la pensée chrétienne primitive. Description des archétypes de la morale patristique. Traduit de l'anglais par E. Latteur (1984).

69. — PIERRE PIRET. Le Christ et la Trinité selon Maxime le Confesseur. Préface de M.J. LE GUILLOU.

70. — CHARLES KANNENGIESSER. Athanase d'Alexandrie Évêque et écrivain. Une lecture du Traité *Contre les Ariens* (1983).

72. — CLAUDE SAVART. Le livre catholique témoin de la conscience religieuse. En France au XIXe siècle (1984).

73. — P. SCHMITT. Méthode théologique de Maldonat (1985).

74. — ALBERT VERWILGHEN. Christologie et spiritualité selon Augustin. *L'Hymne aux Philippiens* (1985).

TEXTES DOSSIERS DOCUMENTS

SÉRIE ANNEXE DE LA COLLECTION
THÉOLOGIE HISTORIQUE
DIRIGÉE PAR CHARLES KANNENGIESSER

1. HENRY MARET	L'Église et l'État. *Cours de Sorbonne inédit* (1850-1851) Présentation de Claude BRESSOLETTE Préface d'Émile POULAT
2. E. BOZÓKY	Le livre secret des Cathares. *Interrogatio Iohannis*. Apocryphe d'origine bogomile Préface d'Émile TURDEANU
3. H. ZWINGLI	De la justice divine et de la justice humaine *Première traduction française* par Jaques COURVOISIER
4. A. JOUBERT AMARI PERRY	La Passion des Jongleurs d'après Geuffroi de Paris *Édition critique, Introduction, Notes et Glossaire.*
5. M.J. LE GUILLOU L. LE GUILLOU	Le dossier de la condamnation de Lamennais
6. A.J. FESTUGIÈRE	Éphèse et Chalcédoine. Actes des Conciles *Première traduction française*
7. LE SAGE	De la Bretagne à la Silésie. 1791-1800 Mémoires d'exil présentés par X. LAVAGNE
8. M.-T. PERRIN	Dossier Laberthonnière. Correspondance et textes (1917-1932). Avant-propos de Henri GOUHIER

à paraître :

J. MANCEAU	Monseigneur Marie-Dominique Auguste Sibour, Archevêque de Paris (1848-1857)
F. MORARD	Les Pseudépigraphes coptes de l'Ancien Testament